KB182868

네트워크마케팅
사업자를 위한
세금이야기

네트워크마케팅 사업자를 위한 세금이야기

2020년 4월 28일 초판 인쇄
2020년 5월 6일 초판 발행

지 은 이 | 정상우
발 행 인 | 송상근
발 행 처 | 삼일인포마인
등록번호 | 1995. 6. 26. 제3-633호
주 소 | 서울특별시 용산구 한강대로 273 용산빌딩 4층
전 화 | 02)3489-3100
팩 스 | 02)3489-3141
가 격 | 18,000원

ISBN 978-89-5942-872-4 93320

네트워크마케팅 사업자를 위한 세금이야기

정상우 세무사 저

SAMIL | 삼일인포마인

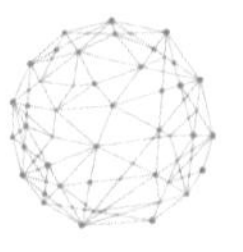

서문

네트워크마케팅과 인연을 맺은 때가 1999년 말로 기억된다. 그 당시 네트워크마케팅에 대해 잘 몰랐던 때라 나름대로 관련 책과 인터넷 등을 뒤적였고, 이 사업은 나 혼자 잘해서 되는 사업이 아니라 서로의 신뢰를 쌓아 내 파트너가 잘 되어야 내가 잘 되는 Win-Win Business라고 들었다.

세무서와 지방국세청, 국세청에 근무하면서 부가가치세, 법인세, 소득세 등 다양한 실무경험을 쌓았다. 2004년부터 국세청에 근무하면서 "2005년 1월 1일 세계 최초 현금영수증 제도 시행"이라는 당시 국정과제의 업무에 자부심을 갖고 최선을 다했던 것으로 기억한다. 세계 최초 시행이라는 말만 들어도 얼마나 창의적으로 일을 해야 하고, 얼마나 오랫동안 책상에 앉아 씨름해 가며 일을 했을지 짐작이 갈 것이다. 당시 현금영수증 제도를 준비했던 우리 팀들이 했던 일들이 지금도 시행되는 것을 보면 마음이 뭉클해지면서 보람차다.

학창시절부터 "매사 모든 일에 최선을 다하자"라는 인생의 모토를 가지고 생활하고 있다. 그래서 세무사 수험기간 동안에도 어느 일에 치우치지 않고 주어진 업무와 시험준비에 최선을 다했다. 그렇게 주경야독하면서 시험에 합격을 했고, 국세청 20년 근무를 끝으로 행정사무관으로 명예퇴직을 하고 지금은 대원세무법인에서 근무하고 있다. 사람의 인연은 알지 못하기에 언제나 최선을 다하고 "한번 고객은 영원한 나의 고객"이라는 신념으로 일하고 있다.

물론 세무사로서 처음 시작은 국세청 20년 근무라는 타이틀이 무색할 정도로 무척이나 힘든 시기도 있었지만, 인생사 새옹지마(塞翁之馬)라는 말처럼 보람된 일도 많았다. 특히, 예전에 네트워크마케팅과 인연을 맺은 경험이 있는 터라 네트워크마케팅 회사마다 업무 특성과 보상플랜이 다르긴 하지만, 이쪽 업무를 하는 것에 비교적 자신감을 느낀 것 같다.

네트워크마케팅을 사업으로 하는 리더들을 대상으로 소득세 강의와 부가가치세 강의를 4년 동안 해오면서 리더의 Needs가 무엇인지 조금씩 알아가게 되었다. 그래서 네트워크마케팅을 주제로 한 세금이야기를 책으로 써보면 어떨까 하고 마음속으로만 생각하던 차에, 주변 리더님들의 권유로 용기를 내어 짧은 기간이지만 최선을 다해 최대한 쉽게 쓰려고 노력하였다. 앞으로 이 책이 어떤 모습으로 발간될지 기대 반 우려 반이지만, 내 인생의 모토처럼 최선을 다했기에 후회는 없다.

아울러 난생 처음 써보는 책이라 부족한 부분도 있겠지만 이 책을 읽는 리더님들의 관심과 이해를 부탁하며, 앞으로 더욱 나은 책이 될 수 있도록 연구와 노력을 통해 계속 보완해 나갈 것을 약속드린다.

이 책이 발간될 때까지 배려해 주신 대원세무법인의 대표님과 근무 세무사님들 그리고 이 책의 출판을 위해 수고해 주신 삼일인포마인 송상근 대표이사님, 하태안 이사님과 편집부에 감사드린다.

끝으로, 나와 결혼해서 지금까지 나의 일한다는 핑계, 공부한다는 핑계 등에도 묵묵히 직장을 다니면서 두 아이들을 잘 키워내고, 어려웠던 시기를 끝까지 동행해 주는 아내, 바르게 커가는 딸과 아들에게 진정으로 “나의 사랑하는 가족! 사랑하고 함께여서 고맙다”라는 말을 꼭 전하고 싶다.

2020년 4월

별다방과 집을 오가면서 저자 씀

차례

제1장
네트워크마케팅에 대한 이야기

1. 네트워크마케팅(Network Marketing)에 대한 프레임을 리프레임하자 012
2. 다단계판매란 무엇인가? 017
3. 다단계판매원 후원수당의 정의 020
4. 다단계판매원이 받는 후원수당의 원천 023
5. 다단계판매업의 특성 025
6. 통계로 살펴보는 다단계판매업자 현황 028
7. 통계로 살펴보는 다단계판매원 수와 후원수당 현황 033
8. 미리 엿보는 다단계판매와 세금신고 037

제2장
조세총괄 편

1. 세금의 종류 042
2. 세금과 관련된 용어의 정의 048
3. 납세자란 누구를 말하나? 055
4. 과세관서가 세금을 과세하거나 세법을 적용할 때 원칙 057

5. 세금이 과세되고 납세의무가 없어지는 과정 059
6. 국세의 소멸원인 중 국세부과의 제척기간 및 국세징수권의 소멸시효 065
7. 국세청의 세무조사는 언제 받게 되나? 073
8. 납세자의 권리구제 078
9. 세금고지에 대한 불복 외에 세금을 돌려받는 제도(경정청구) 086
10. 세금신고를 잘못하여 세금을 덜 낸 경우는 수정신고를! 089

제3장 소득세 편

1. 소득세의 정의 094
2. 우리나라 소득세제의 도입과 역사 096
3. 우리나라 소득세의 특징 098
4. 소득세의 과세 방법 101
5. 종합소득세의 계산구조 105
6. 과세기간과 납세지 108
7. 사업소득 계산구조 111
8. 종합소득세 신고 방법 114
9. 장부기장을 통한 종합소득세 신고 117
10. 간편장부 작성을 하면 받는 혜택 126
11. 간편장부에 의한 신고절차 129
12. 추계과세제도 137
13. 단순경비율과 기준경비율의 계산 방법 142
14. 다단계판매원의 case별 소득금액 계산 사례(1) 145
15. 다단계판매원의 case별 소득금액 계산 사례(2) 148
16. 다단계판매원 추계과세제도의 세액 비교 151

17. 장부작성을 하면 인정받는 필요경비 155
18. 필요경비로 인정받지 못하는 비용(예시) 158
19. 업무용승용자동차에 대한 비용처리 159
20. 비용으로 인정받기 위한 정규지출증빙 163
21. 기장한 경우 증빙서류 보관의무 165
22. 소득금액에서 차감되는 소득공제대상 항목 167
23. 종합소득세의 세율과 계산 171
24. 절세를 위한 세액공제와 세액감면제도 활용 173
25. 소득세 확정신고와 납부 177
26. 성실신고확인제도 179
27. 소득세법상 가산세 182
28. 소득세 분납제도 189
29. 부부공동사업자로 공동사업 시 혜택 191

제4장 간편장부 작성

1. 간편장부에 의한 종합소득세 신고서 작성 순서 196
2. 간편장부 작성 사례 197
3. 총수입금액 및 필요경비명세서 작성 요령 207
4. 간편장부 소득금액계산서 작성 사례 211

제5장
부가가치세 편

1. 다단계판매업과 부가가치세와의 관계 218
2. 부가가치와 부가가치세의 정의 222
3. 우리나라 부가가치세의 특징 227
4. 부가가치세법상 사업자의 정의 229
5. 부가가치세 과세대상 거래 232
6. 다단계판매원(사업자형회원)의 사업자등록 신청 234
7. 사업자등록 시 과세유형 선택 237
8. 사업자등록 시 확정일자 신청 239
9. 사업자등록을 하지 않으면 받는 세무상 불이익 241
10. 과세기간과 납세지 244
11. 부가가치세의 세금 구조 246
12. 부가가치세 과세표준(다단계판매원이 받은 후원수당의 합계) 249
13. 세금계산서의 중요성과 발행 251
14. 전자세금계산서 발급 의무화 254
15. 세금계산서의 교부(발행)시기 257
16. 매출세금계산서 발행 방법(정상적 발급, 매입자중심 발급) 및 유의사항 260
17. 세금계산서를 잘 챙기는 것이 절세의 지름길! 262
18. 다단계판매원이 받을 수 있는 세금계산서 등 265
19. 부가가치세 매입세액이 공제되지 않는 항목 267
20. 부가가치세법상 가산세 270
21. 사실과 다른 세금계산서(=거짓세금계산서)를 받을 때 불이익 273
22. 다단계사업을 그만둘 때 신고 마무리(폐업신고) 275
23. 부가가치세 수정신고, 경정청구 278
24. 주요 관련 사례 280

네트워크마케팅 사업자를 위한 세금이야기

제 1 장 네트워크마케팅에 대한 이야기

1. 네트워크마케팅(Network Marketing)에 대한 프레임을 리프레임하자
2. 다단계판매란 무엇인가?
3. 다단계판매원 후원수당의 정의
4. 다단계판매원이 받는 후원수당의 원천
5. 다단계판매업의 특성
6. 통계로 살펴보는 다단계판매업자 현황
7. 통계로 살펴보는 다단계판매원 수와 후원수당 현황
8. 미리 엿보는 다단계판매와 세금신고

1. 네트워크마케팅(Network Marketing)에 대한 프레임을 리프레임하자

네트워크마케팅(네트워크마케팅이라는 용어 외에 멀티레벨마케팅(MLM), 직접판매(Direct Selling), 회원직접판매(Member Direct Selling), 다단계판매 등 다양하게 사용되고 있음)에 대한 책을 써 보겠다고 하니 주변에서는 예전에 네트워크마케팅을 해 본 경험도 있고, 세무사가 되고 나서 몇 년 동안 네트워크마케팅 사업자를 대상으로 소득세, 부가가치세 강의를 하고 있으니 이왕 하는 것 잘해 보라고 격려를 해 준다.

하지만 세법이란 것이 깊이 들어갈수록 전문가들도 어렵게 느끼고 정책적으로 자주 바뀌기 때문에 필자가 네트워크마케팅을 경험했고, 네트워크마케팅 사업자를 대상으로 강의했다고 해서 "네트워크마케팅 사업자를 위한 세금이야기"란 주제로 사업자를 쉽게 이해시킬 수 있는 책을 쓸 수 있을까? 하는 무거운 부담을 안고 시작을 한다.

이 책을 읽는 분들 중 빨리 본론으로 들어가지 무슨 이야기를 하려고 이러는 거야? 할 수도 있겠지만, 천천히 네트워크마케팅에 대한 이야기를 한 후에 본격적으로 네트워크마케팅 사업자와 관련된 세금 이야기를 하려고 한다.

사실 필자는 좋은 상품이 있으면 언제든지 인터넷으로 손쉽게 회원가입을 해서 그 상품을 산다. 그런데, 네트워크마케팅 회사에서 취급하는 Quality가 좋은 상품을 구입하려고 인터넷으로 회원가입을 하려면 나를 후원해 주는 후원자번호를 입력해야만 해서 회원으로 가입하는 것 자체가 보통의 쇼핑몰(Shopping Mall)보다 번거로운 것이 사실이다. 그러나 어쨌든 간에 나를 후원하는 후원자번호만 안다면 인터넷으로 회원가입하는 것이 예전보다는 훨씬 간단해졌다.

이렇게 네트워크마케팅 회사에 회원가입해서 그 회사에서 취급하는 내가 필요로 하는 상품을 사기만 하면 되는 것인데도, 여전히 회원가입 자체를 꺼려하는 네트워크마케팅에 대한 좋지 않은 인식이나 선입관을 갖는 사람이 많다는 게 지금의 현실이다.

최근에 친한 친구에게 간편 회원가입을 해서 필요한 상품을 써 보라고 권한 적이 있다. 물론 필자가 돈을 벌 목적으로 회원가입을 권한 것도 아니고, 가정이나 사무실에서 어차피 쓰는 상품이라면 Quality가 좋은 상품으로 바꿔 쓰라는 것이 전부였음에도 절대 회원가입은 안한다는 친구의 말에 순간 깜짝 놀랐다. 내 머릿속은 네트워크마케팅이 그렇게 손사래 치면서까지 거절할 정도의 판매방식인가? 그리고 네트워크마케팅이 우리나라에 들어온지가 삼십 년이 지났는데도 여전히 부정적인 생각을 갖는 것이 일반적인 것인가? 하고 당황한 적이 있다. 하지만, 필자는 언젠가 이 친구가 회원가입을 해서 소비자가 되는 그날까지 포기하지는 않고 선입관을 바꿔야지 하고 다짐했다.

어쨌든, 잠시 놀란 마음을 잡고 표현이 적절할지는 모르겠으나 "누구나 자신에게 놓여진 인생의 답안지에 무엇을 선택할 지는 자신의 몫이다. 그리고 그 선택된 인생의 답안지에는 정답이 없다."고 생각한다.

자기가 선택한 인생의 답안지에 정답이 없듯이 내가 누구에게 네트워크마케팅을 하라고 강요할 필요도 없고, 그것을 사업으로 받아들이든, 어느 쇼핑몰에서 필요한 상품을 구입해서 쓰든 그저 좋은 상품이 있다는 사실을 알리고 나면 나의 역할은 끝이고, 상대방이 회원가입을 해서 필요한 상품을 어느 쇼핑몰에서 사든 그 선택은 상대방이 하는 것이라고 나만의 결론을 내리고 그것을 편안히 받아들이기로 했다.

사람이 인물이나 사물을 바라보는 관점에 따라 그 모습은 다양하게 이야기될 수 있다. 이러한 인물이나 사물을 네트워크마케팅에 한정지어 보면, 네트워크마케팅에 대한 과거로부터 이야기 들었던 부정적인 생각, 네트워크마케팅은 피라미드이고 먼저 시작한 사람이 성공한다라는 오해 등이 일반인들 사이에는 여전히 존재한다.

수년 전 국세청에 재직 당시 모 국장님이 주셨던 책 한 권이 있다. 당시 업무가 많고 바쁜 터라 그 책을 대충 읽는 시늉만 하고 책꽂이에 고스란히 그렇게 몇 년을 꽂아 두었다. 그런데 최근에 딸과 아들은 그 책이 학원의 필독서라면서 어려운 철학적인 내용이지만 열심히 읽는 모습을 보고 필자도 다시 한번 읽어보게 되었다.

그 책은 프레임(Frame)에 대해서 이야기한다. 심리학에서 프레임이란 '세상을 바라보는 마음의 창'이다. 어떤 문제를 바라보는 관점, 세상을 향한 마음 자세, 사람들에 대한 고정관념들이 모두 프레임의 범주에 속한다. 건물 어느 곳에 창을 내더라도 그 창만큼의 세상을 보게 되듯이, 우리도 프레임이라는 마음의 창을 통해서 보게 되는 세상만을 바라볼 뿐이라는 것이다.

지금 나의 프레임은 특정한 방향으로 고정되어 세상을 바라보고 있는지, 아니면 열린 마음으로 세상을 바라보고 있는지 다시 한번 생각하게 만드는 책이다.

네트워크마케팅 사업자를 위한 세금이야기를 시작하기 전에, 이 이야기를 꼭 전하고 싶다. 주로 네트워크마케팅 사업자들이 이 책을 보리라 예상하지만, 이외 다른 독자들에게 필자가 네트워크마케팅 사업을 권하는 것은 아니니 절대 오해가 없길 바란다. 다만, 현 시점에서 네트워크마케팅을 부정적으로 바라보는 오해의 고정관념이 있다면, 네트워크마케팅에 대해 정확히 알아본 후에 그동안의 자기중심적 프레임에서 새끼 독수리가 알을 깨고 나오듯이 용기를 갖고 그 틀에 박힌 고정관념을 깨고 나오기를 바란다.

그래서 기존 유통구조에 대한 고정관념을 바꾸는 패러다임의 변화로 탄생한 네트워크마케팅, 네트워크마케팅의 과거에 대한 오해와 미래에 대한 무지를 인정하는 지혜, 그리고 네트워크마케팅 보상플랜에 대한 잘못된 인식에서 기분 좋은 탈출이야말로 네트워크마케팅을 이해하는 최상의 프레임으로 변화하는 것이라고 생각한다.

그리고 우리가 가지고 있는 프레임으로 세상을 깨끗하게 보기 위해서는 항상 우리의 창을 깨끗이 닦아야 한다. 왜냐하면 우리가 깨끗한 프레임을 통해 세상을 바라보고, 우리가 노력한 만큼 우리가 삶으로부터 얻어내는 결과물들도 달라질 것이기 때문이다.

필자가 전하고 싶은 내용은 네트워크마케팅에 대한 자신의 고정된 혹은 부정적 프레임만으로 바라보지 말았으면 하는 것이고, 혹시라도 자신의 프레임에 먼지가 가득하다면 깨끗이 닦아서 프레임을 리프레임해서 세상을 바라보듯이 네트워크마케팅에 대한 올바른 인식과 판단으로 바라봐 주길 바라는 것이다.

자, 이제부터 네트워크마케팅을 긍정적 프레임으로 이해하고, 네트워크마케팅 사업자를 위한 세금이야기로 들어가기 전에 이 사업의 리더에게 너그러운 양해를 부탁할 것이 있다.

세법이란 학문은 우리 실생활과 밀접한 관련이 있지만, 학문적으로는 좁은 영역 중에 하나이다. 좁은 영역이라도 필자는 어쨌든 법률을 다루는 세무사이고, "방문판매 등에 관한 법률", "부가가치세법, 소득세법" 등 관련 법률에서 "네트워크마케팅"을 "다단계판매"로, "네트워크마케팅 사업자"를 "다단계판매원"으로, 그리고 네트워크마케팅 회사를 "다단계판매업자, 다단계판매회사"라는 용어를 사용하므로, 이 용어들을 다음 제목부터 사용함을 너그러이 이해해 주기 바란다.

2. 다단계판매란 무엇인가?

(1) 유통단계의 변화

상품이나 제품의 전통적인 판매유통경로는 제조업자→도매업자→소매업자→소비자로 구성되어 있다. 이러한 유통구조는 지금도 변함이 없다. 그러나 인터넷과 택배업의 발달로 인하여 전통적인 판매유통경로와 달리 유통구조를 단순화하여 판매회사가 직접 생산한 제품이나 생산자로부터 구입한 상품을 소비자에게 직접 판매하는 방식으로 점점 변화하고 있다.

즉, 다단계판매 방식은 제조업자→도매업자→소매업자→소비자와 같은 유통경로를 거치지 않고 소비자이자 판매원("디스트리뷰터"라고도 하나, 이하 "다단계판매원"이라 함) 자신이 제품을 사용하거나 고객에게 판매하도록 하고, 회사는 각각의 판매원에게 회사 상품 또는 서비스를 판매하고 그들로 하여금 판매망을 조직하고 운영하는 방식이다.

또한, 상품 또는 서비스를 사용하여 우수성을 인정한 소비자가 스스로의 의사로 판매원으로 전환되고, 주위 사람들에게 권하여 상품을 나누어 쓰게 되면서 이렇게 새로이 형성된 소비자가 다시 판매원으로 전환되는 과정이 무한히 반복됨으로써 상품 또는 서비스의 판매범위가 점차로 넓어지는 방문판매, 통신판매, 회원제 판매 방식 등이 결합된 직접판매의 새로운 유통방식이다.

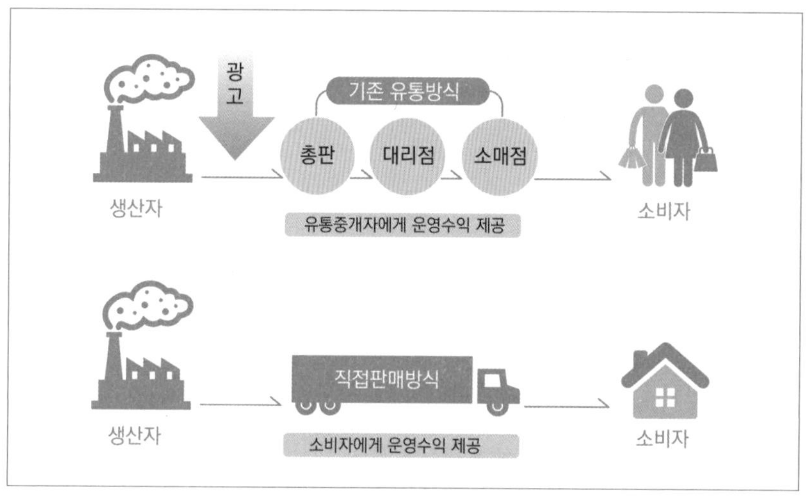

그림 다단계판매 사업의 이해

(2) 다단계판매의 법률적 정의

다단계판매란, 방문판매 등에 관한 법률(이하 "방판법"이라고 함) 제2조(정의) 제5호에서 다음의 요건을 모두 충족하는 판매조직을 통하여 재화 등을 판매하는 것으로 법률적 정의를 내리고 있다.

- 판매업자에 속한 판매원이 특정인을 해당 판매원의 하위 판매원으로 가입하도록 권유하는 모집방식이 있을 것

- 판매원의 가입이 3단계(다른 판매원의 권유를 통하지 아니하고 가입한 판매원을 1단계 판매원이라 함) 이상 단계적으로 이루어질 것. 다만, 판매원의 단계가 2단계 이하라고 하더라도 사실상 3단계 이상으로 관리·운영되는 경우를 포함함.

- 판매업자가 판매원에게 다음의 후원수당을 지급하는 방식을 가지고 있을 것
  ① 판매원의 수당에 영향을 미치는 다른 판매원들의 재화 등의 거래실적
  ② 판매원의 수당에 영향을 미치는 다른 판매원들의 조직관리 및 교육훈련실적

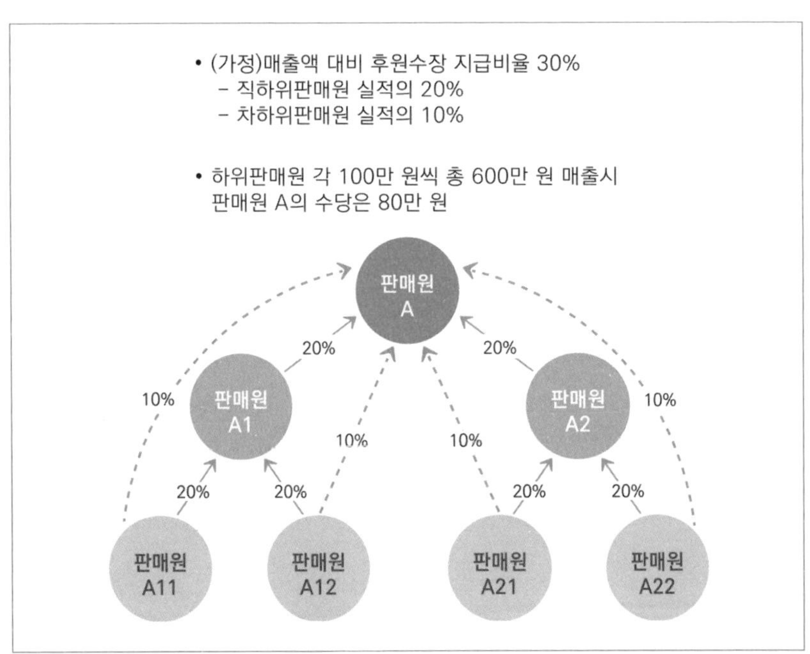

그림 다단계판매 방식

3. 다단계판매원 후원수당의 정의

방판법은 일정한 이익의 범위를 소매이익과 후원수당으로 한정하고 있다. '일정한 이익'이라 함은 다단계판매에 있어서 다단계판매원이 소비자에게 상품을 판매하여 얻는 소매이익과 다단계판매업자가 그 다단계판매원의 용역제공 대가로 지급하는 후원수당을 말한다.

소매이익	+	후원수당	=	일정한 이익
(상품 판매)		(용역 제공)		

다단계판매회사가 처음 한국에 들어왔을 때 대부분 다단계판매원은 소매이익을 위주로 활동하였으나, 지금은 소매이익보다는 후원수당을 목적으로 하는 다단계판매원이 대부분이다.

후원수당은 보너스, 장려금, 수당, 후원 장려금, 영업후원수당, 판매수당 등 여러 가지 명칭으로 불린다. 관련법에서는 '후원수당의 산정 및 지급기준(보상플랜 또는 마케팅플랜이라고도 함)'을 다단계판매원 수첩에 명시해 판매원 등록 시 교부하도록 하고 있다.

보상플랜은 다단계판매원의 성과를 높이고 합리적으로 보상하기 위해 다단계판매회사가 도입하고 있는 제반 시스템을 말한다.

보상플랜은 협의의 보상플랜과 광의의 보상플랜으로 구분할 수 있는데, (1) 협의의 보상플랜은 회원 각자의 조직 구성과 매출에 따른 후원수당을 산술적으로 계산하는 '후원수당 지급기준'을 말한다. (2) 광의의 보상플랜은 ① 사업기회의 제공 및 이를 구현하기 위한 제반 시스템적인 활동 ② 일정한 성취에 대한 회사 및 사업자들의 인정 시스템 ③ 랠리, 리더십세미나, 내셔널 컨벤션 등 마케팅 촉진 활동을 위한 각종 이벤트 ④ 주택자금 및 학자금 등의 복지정책, 여행 및 상품권 지급 등 각종 부가이익 등을 포괄한다.

다단계판매업자·후원방문판매업자의 정보공개에 관한 고시(공정거래위원회 고시 제2017-23호, 2017. 12. 22.)에서는 후원수당에 대하여 다음과 같이 정의하고 있다.

후원수당이란 판매수당·알선수수료·장려금·후원금 등 그 명칭 및 지급형태를 불문하고 다단계판매업자가 다단계판매원에게 지급하는 경제적 이익을 지칭하며, 수당의 지급사유가 발생한 시점을 기준으로 한다. 선급금 및 반품·환불로 인한 후원수당 환급액은 후원수당 산정에서 제외하며, 센터지원비·사무실 운영보조금 등은 다단계판매업자가 부지를 얻어 본사 직원을 파견하여 운영하는 경우에는 후원수당에서 제외한다. 후원수당 산정시 국내외 여행, 자동차, 자녀학자금 보조, 상품권 등 모든 경품을 포함한다.

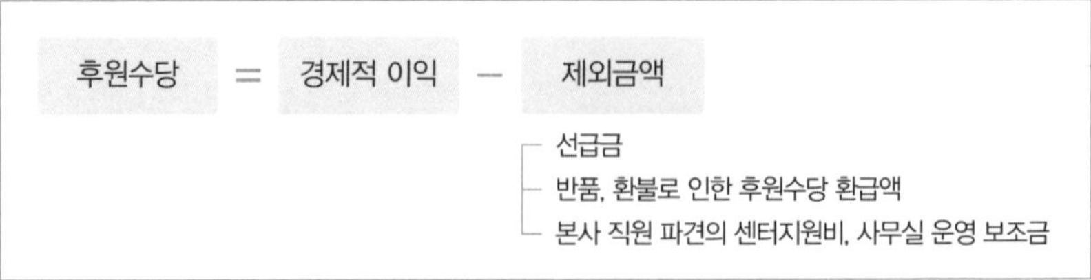

따라서, 각각의 개별 세법에서 다단계판매원에 대한 후원수당을 별도로 정의하고 있지 않다면 공정거래위원회에서 고시한 다단계판매원의 후원수당 정의대로 후원수당을 부가가치세법상 용역의 공급에 대한 부가가치세 과세표준, 소득세법상 사업소득 계산 시 총수입금액으로 보아야 할 것이다.

4. 다단계판매원이 받는 후원수당의 원천

다단계판매회사는 유통구조를 단순화하고, TV, 신문, 잡지 등의 대중광고 매체를 통한 상품의 광고선전을 거의 하지 않고, 다단계판매원들의 노력에 의하여 판매 및 유통망을 구축하고 넓히는 대가로 후원수당을 지급하고 있다.

자세히 이야기하면, 전통적인 유통경로의 단축에서 절감된 비용은 다단계판매회사의 보상플랜에 따라 판매원에게 후원수당으로 제공되기 때문에 최종 소비자이기도 한 판매원은 더 낮은 가격에 제품을 구입하게 되는 효과가 있다.

유통구조의 축소에서 발생되는 기업의 이득은 도·소매업자와 같은 독립유통조직이 가져가게 되는 이익부분과 광고비 등의 비용이며, 이 금액의 합계가 직접 판매를 채택함으로써 판매원들에게 줄 수 있는 후원수당의 원천이 된다. 또한, 도매상이나 대리점을 이용하는 일반적인 유통경로를 선택하는 기업들은 소매상을 확보하거나 고객들을 유치하기 위해 사용하는 비용이나 광고비 그리고 판매직원 교육 및 판촉 활동에서 발생하는 비용, 고객관리비용들도 기업에서 부담하는데 이것도 후원수당의 원천이 된다.

다단계판매회사와 같이 판매원을 활용하여 상품을 유통시키는 경우에는 판매원들이 고객 확보 및 고객 관리 비용을 부담하고 하위 판매원에 대한 교육도 상위 판매원들이 부담하게 되므로, 기업은 이와 같은 판매관리비용을 절감할 수 있게 된다. 또한, 판매조직을 외부화함으로써 기업은 노사관리의 문제도 해결할 수 있는 장점도 갖게 된다.

이렇게 다단계판매회사의 후원수당은 판매원 자기 자신의 매출 실적에 따른 보상, 하위 판매원의 매출 실적에 대한 보상, 하위 판매원의 양성을 비롯한 판매조직확장 및 관리에 대한 보상 등으로 구성된다. 자신의 매출 실적에 대해서는 소매판매이익, 직판수당, 소매이익 개인실적장려금 등의 명칭으로 지급된다. 자신의 하위 판매원의 실적에 대한 보상으로는 후원장려금, 후원금, 그룹 후원장려금 등의 명칭으로 지급되며 조직의 구축 및 관리에 대한 조직관리장려금, 리더십 수당, 리더십 장려금 등의 명칭으로 지급되거나 직급을 승급시켜 관련 후원수당의 지급률을 상승 조정하는 방식으로 운영된다.

<표> 후원수당의 발생 원천과 적용 보상플랜 항목(예시)

후원수당 발생 원천	적용 보상플랜 항목
제품판매에 대한 보상	소매판매 보너스, 그룹매출 보너스
조직구축에 대한 보상	리크루팅 보너스, 그룹매출 보너스, 독립 보너스
매니저 양성에 대한 보상	그룹매출 보너스, 독립 보너스, 기업공유장려금
리더 양성에 대한 보상	독립 보너스, 기업공유장려금
조직관리 및 유지에 대한 보상	그룹매출 보너스, 독립 보너스, 기업공유장려금

출처: 공정거래위원회

5. 다단계판매업의 특성

다단계판매업의 개념을 이해하는데 반드시 유념해야 할 점은 제품의 품질이 우수해야 하며, 그 우수성을 소비자가 인정하여 자기 스스로 의사 판단하여 판매원이 되거나 제품을 구입해야 한다는 것이다. 이 점은 다단계판매업과 피라미드 판매를 구별하는 기준이 될 뿐 아니라, 건전한 다단계판매업을 하는 기업이라 할지라도 이 부분이 충족되지 않으면 피라미드 판매로 오해 받을 가능성이 있다.

과거에는 다단계판매원이 고액의 후원수당을 받기 위하여 하위 판매원에게 단기간 고수익을 미끼로 친구나 지인에게 회원가입을 유도하여 고가 또는 다량의 상품을 강매하는 피라미드식 사기피해 등으로 사회적 문제를 종종 발생시켰다. 그래서 다단계판매에 대한 국민들의 부정적인 선입견으로 사회적 인식이 좋지 않았으나, 관련 법규가 정비되고 제도적으로 사회에 안착되어 2018년 말 기준 우리나라 전 국민 5,182만 명 중 약 903만 명이 회원으로 가입하여 다단계판매회사의 상품을 소비하고 있다. 이러한 점에서 다단계판매는 이미 국민 생활소비와 밀접한 관계에 있다고 할 수 있다.

방판법상 다단계판매업자가 다단계판매원에게 지급할 수 있는 후원수당 한도는 매출액의 35%로 제한되어, 이를 초과하여 후원수당을 지급하면 제재 대상이 될 수 있다. 후원수당 지급 한도를 두는 이유는, 다단계판매 조직의 지나친 사행화를 방지하고 이로 인한 피해 확산을 차단하기 위해서이다.

특히, 국내 다단계판매회사는 소비자 피해보상을 위해 의무적으로 공제조합(직접판매공제조합과 특수판매공제조합)에 가입하여 소비자 피해에 적극 대응하고 있으며, 최근에는 다단계판매원이 하위 판매원 또는 소비자에게 상품을 고가 또는 다량으로 판매하기보다는 다단계판매회사의 상품을 구입하려는 소비자를 회원에 가입하게 안내하여 회원가입 후에 다단계판매회사의 우수한 제품을 직접 구입할 수 있는 방식(이를 "자가소비형 회원"이라고 한다)으로 바뀌고 있다.

그리고 다단계판매업자는 방판법 제15조 규정에 따라 다단계판매원으로 등록한 자에게 후원수당의 산정 및 지급기준, 하위 판매원의 모집 및 후원에 관한 사항, 재화 등의 반환 및 다단계판매원의 탈퇴에 관한 사항 및 다단계판매원이 지켜야 할 사항을 확인할 수 있는 다단계판매원 수첩(사전에 서면으로 동의한 경우 전자문서와 전자기기로 된 것 포함)을 발급하여 건전한 다단계판매 문화를 만들어 가고 있다.

<표> 다단계판매와 피라미드판매의 차이

구분	다단계판매	피라미드판매
가입 비용	없음	가입비, 교육비, 상품구매비 등 각종 명목의 과도한 초기비용
상품	우수한 품질의 중저가 소비재	저질의 고가 내구재
업무 구조	초기 부업 출발 유도	초기부터 전업으로 사업 강요
후원 수당	장기적 성과급(본인의 구매실적과 판매실적 등의 다양한 수당지급)	단기간에 손쉽게 돈 버는 판매 방식 (신규 회원모집으로 수당지급)
구매 유도	자유의사로 상품구매	월별 강제 구매액 설정
조직	개방적이고 자유스러운 가입 및 탈퇴 허용	배타·폐쇄적 구조로 탈퇴가 자유스럽지 못함
환불	소비자 환불 규정 명시	소비자 환불 규정 불이행
피해 보상	공제조합에 가입되어 소비자 피해발생시 보상 가능	공제조합에 가입되어 있지 않아 피해 발생시 보상 불가능

6. 통계로 살펴보는 다단계판매업자 현황

(1) 다단계판매회사의 역사와 우리나라 진출 현황

다단계마케팅은 1945년 영양보급식품 제조업체인 미국 뉴트리라이트사가 원조이다. 리 마이팅거라는 세일즈맨과 셀버리라는 심리학자가 처음 다단계마케팅이라는 이름을 사용했다.

이들은 자신의 판매액뿐 아니라 자신이 모집한 사람들의 매출액에서도 금전적인 보상을 받을 수 있게 하는 것이 더욱 큰 '자극제'라 판단하고, 마케팅 방식도 '직접적 광고' 대신에 '구전효과' 혹은 '소개판매'를 이용하였다. 다단계판매가 인적 네트워크마케팅으로 불리는 이유도 여기에 있다.

이렇게 설립된 뉴트리라이트에서 디스트리뷰터로 일하던 리치 디보스와 제이 밴 앤델이 1959년 미시간주 에이다시에 설립한 회사가 현재 세계 최대 다단계판매회사인 암웨이 코퍼레이션이다.

우리나라에서 일반인들은 다단계판매라는 말만 들어도 떠올리는 회사가 있는데, 그 회사 이름이 바로 암웨이이다. 한국암웨이는 1988년 국내 현지 법인을 설립하고, 1991년 5월 국내영업을 시작했다. 한국암웨이는 한국에 처음으로 다단계판매기법을 소개했고, 국내 다단계 시장에서 줄곧 부동의 매출액 1위를 지키고 있다. 암웨이가 한국에 진출한 이후 1990년대부터 썬라이더와 뉴스킨, 허벌라이프 등 많은 외국계 다단계판매회사가 국내에 들어와 영업을 시작하였다.

우리나라는 1995년 1월 '방문판매 등에 관한 법률'이 공포되고 같은 해 7월부터 이 법률이 시행되면서 다단계판매가 법적으로 허용되어 1997년에 다단계판매회사의 총매출액이 9,195억 원을 이루면서 호황기를 계속 누릴 것으로 예상했다. 그러나 1998년 우리나라에 닥친 IMF 한파로 다단계판매회사의 총매출액이 4,450억 원대까지 급격히 떨어지는 부진을 보였다. IMF 한파라는 위기를 맞았던 다단계판매시장은 2000년 1조 9,000억 원, 2001년 3조 8,500억 원 등 해를 거듭할수록 높은 성장률을 보이면서 2018년 5조 원 이상의 시장 규모를 형성하면서 계속 성장을 하고 있는 추세이다.

(2) 국내 다단계판매회사 현황

우리나라에서 다단계판매업을 정상적으로 하기 위해서는 방판법 제13조에 따라 공정거래위원회 또는 주된 사무소를 관할하는 시·도지사에게 다단계판매업 등록을 해야 한다. 그리고 시·도지사로부터 다단계판매업등록증을 교부받은 다단계판매업자는 사업개시일로부터 20일 이내에 사업장 관할 세무서장에게 사업자등록신청을 해야 한다.

이렇게 다단계판매업자로 등록한 2018년도의 정보 공개 대상 다단계판매업자 수는 전년대비 5개 업체가 증가한 130개이다.

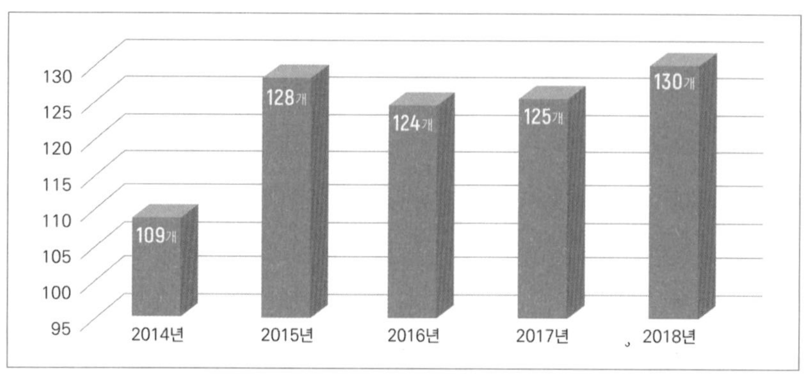

출처: 공정거래위원회

그림 다단계판매업자 수 추이

(3) 국내 다단계판매업자의 매출 순위

국내 다단계판매업자는 2018년 기준 약 130개로 외국계 회사가 대부분이다. 한국암웨이나 뉴스킨코리아, 유니시티코리아, 한국허벌라이프 등 상위 10개 중 7개 업체가 외국계 기업이고, 그중에서 국내 토종 네트워크 마케팅업자로 평가받는 애터미와 지쿱이 새로운 외국계 기업의 대항마로 주목받고 있다.

국내 네트워크마케팅 시장은 여전히 한국암웨이가 부동의 매출 1위를 유지하고 있다. 한국암웨이는 서울시 강남구와 강서구, 광주, 대전, 대구, 부산, 해운대 등에 14개의 암웨이 비즈니스 센터(Amway Business Center)를, 분당에 암웨이 브랜드 센터(Amway Brand Center)를 운영하면서 다단계판매원(ABO)에게 다양한 서비스를 제공하여 단순한 쇼핑공간이 아닌 '회사–ABO–소비자'가 상호 교류하며 회사와 비즈니스, 제품과 브랜드를 모두 만나는 복합 비즈니스 솔루션 센터의 역할을 함께 수행하면서 지속적인 변화와 혁신을 꾀하고 있다.

그리고 2009년 창업 이후 매년 30~40%의 성장세를 보인 국내 토종 네트워크 마케팅업자인 애터미가 한국암웨이의 뒤를 쫓고 있다. 애터미의 성장 비결은 최고 수준의 제품을 합리적인 가격으로 누구나 사용할 수 있게 한다는 '절대가격, 절대품질' 전략에 있다. 애터미는 글로벌 비즈니스 확장을 위해 2010년 미국을 시작으로 일본과 캐나다, 싱가포르, 대만, 캄보디아와 필리핀 등 동남아 시장을 공략하고 있으며, 최근에는 중국시장 진출을 위해 노력하고 있다.

공정거래위원회에 정보 공개 대상으로 등록한 2018년도 다단계판매업자의 매출액 합계는 전년 대비 3.7% 증가한 5조 2,208억 원이었다. 이중 상위 10개 업체의 매출액은 3조 6,187억 원으로, 전체 다단계판매업자 매출액의 69.3%를 차지한다.

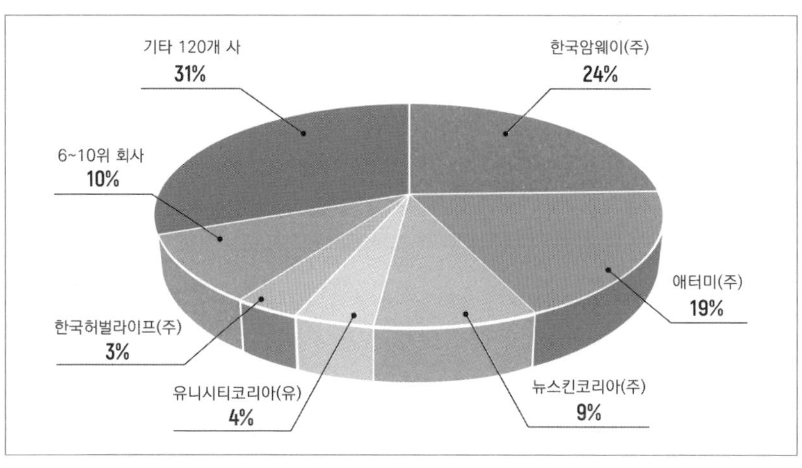

출처: 공정거래위원회

그림 국내 다단계판매업자의 매출액 순위(2018년)

보다 자세한 다단계판매업자 정보는 공정거래위원회 누리집(www.fte.go.kr) 상단 메뉴 "정보공개"→"사업자등록현황"→"다단계판매사업자"에서 확인할 수 있다.

7. 통계로 살펴보는 다단계판매원 수와 후원수당 현황

(1) 다단계판매원 등록 및 후원수당 수령 현황

2018년 기준 우리나라 다단계판매업자에 등록되어 있는 전체 다단계판매원 수는 903만 명이다. 물론, 다단계판매업자에 등록된 판매원 수를 모두 합한 숫자이어서 여러 다단계판매업자에 중복 가입한 경우가 있으므로 실제 판매원 숫자는 이보다 적을 것이지만, 다단계판매원 수가 계속적으로 증가하고 있다는 사실은 아래 그래프를 통해 알 수 있다.

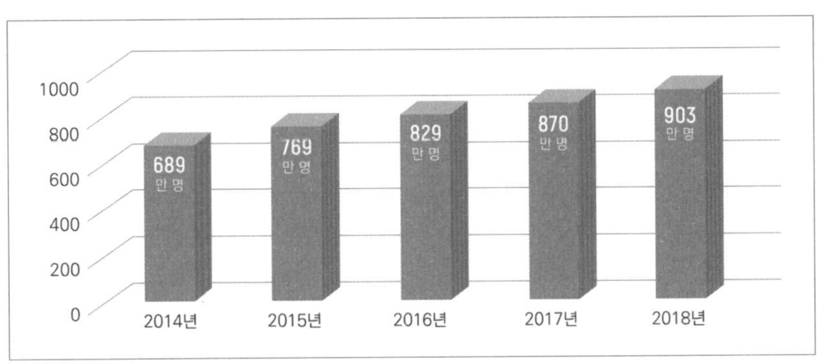

출처: 공정거래위원회

그림 최근 다단계판매원 수 추이

그리고 다단계판매업자가 다단계판매원에게 지급한 후원수당은 다음 <표>와 같으며, 2018년에 다단계판매업자가 소속 판매원에게 지급한 후원수당 총액은 1조 7,817억 원으로 최근 5년 중 최고 금액이며, 판매회사의 매출액이 증가하는 만큼 후원수당 지급액도 계속적으로 증가하는 추세임을 알 수 있다.

<표> 다단계판매회사가 판매원에게 지급한 후원수당

(단위: 억 원)

구분	2014년	2015년	2016년	2017년	2018년
판매회사의 매출액	44,972	51,532	51,306	50,330	52,208
후원수당총액	14,625	16,775	17,031	16,814	17,817
비율	32.5%	32.6%	33.2%	33.4%	34.1%

출처: 공정거래위원회

(2) 후원수당을 받은 다단계판매원 현황

2018년 기준 다단계판매업자로부터 후원수당을 지급받은 판매원 수는 다음 <표>와 같이 전년 대비 0.6% 감소한 156만 명으로 전체 등록 판매원 수의 17.3%였다.

다단계판매원으로 등록한 수는 계속 증가하고 있지만, 후원수당 수령 판매원 수는 2016년 이후 소폭 감소 추세이다. 하지만 앞으로 다단계판매원 등록수와 후원수당을 받는 판매원의 수는 계속 증가할 것으로 예상된다.

<표> 후원수당 받은 다단계판매원 수

(단위: 만 명, %)

구분	2014년	2015년	2016년	2017년	2018년
등록판매원	689	769	829	870	903
후원수당 받은 판매원 수	134	162	164	157	156
비율	19.4	21.0	19.8	18.0	17.3

출처: 공정거래위원회

(3) 다단계판매원이 받는 후원수당 분석

2004년 3월 공정거래위원회가 처음 고시(제2004-5호, 2004. 3. 23.)한 '다단계판매업자의 정보공개에 관한 고시'에 따르면 다단계판매업자에게 후원수당 지급분포도를 제출하도록 하였다. 그래서 통계상의 수치로만 보면 다단계판매원들에게 지급된 후원수당이 상위 판매원에게 많이 지급되는 것으로 보여졌다.

그러나 2017년 12월 말 공정위는 '다단계판매업자의 정보공개에 관한 고시'를 개정(제2017-23호, 2017. 12. 22.)하면서 다단계판매업자에게 이전보다 많은 양의 정보를 공정위에 제출하도록 하였다.

2018년 기준 다단계판매업자가 후원수당을 지급한 156만 명의 판매원 구간별 지급분포, 후원수당 금액 수준별 분포 현황을 보아도 상위 판매원에게 지급한 후원수당이 많다. 왜냐하면, 상위 판매원은 자가소비뿐 아니라 소득을 목적으로 오랫동안 영업활동을 해서 본인이 속한 그룹의 매출이 계속 성장하기 때문이다. 반면, 하위 판매원 대부분은 자가소비만 하던 중에 후원수당이 발생하거나, 사업으로 본인이 속한 그룹을 점점 성장시켜가면서 받은 후원수당이라 판매원 간 후원수당 차이가 있는 것은 당연한 것이라 생각된다.

방판법상 후원수당은 ① 판매원 자신의 거래 실적 ② 판매원 자신의 수당에 영향을 미치는 다른 판매원의 거래 실적 ③ 조직관리 및 교육·훈련 실적 ④ 기타 판매 활동 장려 및 보상 등을 근거로 판매원에게 지급되는 경제적 이익을 말한다.

상위 판매원들은 통상 ①~④ 명목의 후원수당을 모두 지급받는데 비해, 자가소비 목적으로 가입한 하위 판매원들은 주로 ① 판매원 자신의 거래실적 성격의 수당 위주로 지급받기 때문에 하위 판매원들의 후원수당은 상위 판매원보다 적을 수밖에 없다. 앞으로 상위 판매원과 하위 판매원 간 후원수당 분포에 대한 차이 원인분석이 먼저 이루어진다면 그동안의 단순 결론 분석으로 인해 생긴 잘못된 오해는 줄어들 것으로 본다.

8. 미리 엿보는 다단계판매와 세금신고

다단계판매업자는 다단계판매원에게 ① 판매원 자신의 거래 실적 ② 판매원 자신의 수당에 영향을 미치는 다른 판매원의 거래 실적 ③ 조직관리 및 교육·훈련 실적 ④ 기타 판매 활동 장려 및 보상 등을 근거로 판매원에게 지급되는 모든 경제적 이익을 합한 금액으로 후원수당을 매월 지급한다. 이러한 후원수당은 다단계판매업자의 보상플랜인 '후원수당의 산정 및 지급기준'에 따라 지급한다.

다단계판매업자와 다단계판매원 간의 미리 맛보는 세무관련 내용은 다음과 같으며, 다음 장부터 이어지는 조세총괄 편, 소득세 편, 부가가치세 편을 통해 본격적인 세금이야기를 시작하고자 한다.

(1) 다단계판매업자의 미리 보는 세무

다단계판매업자가 정한 보상플랜에 의해 다단계판매원 실적에 따라 계산하여 지급하는 후원수당은 기업회계기준에서 정한 바에 따라 일정기간의 거래금액에 따라 지급하는 판매장려금으로 매출액에서 차감하거나, 판매장려금 등 판매부대비용으로 회계처리한다.

방판법에 따라 다단계판매원에게 지급하는 후원수당은 독립적 인적 용역에 해당하는 사업소득으로서, 다단계판매업자가 그 대가를 지급하는 때에 사업소득 원천징수세율 3.3%(지방소득세 포함)를 적용하여 계산한 소득세를 원천징수하여 다음 달 10일까지 정부에 세금을 납부하게 된다.

다만, 다단계판매원이 사업장을 임차하거나 근로자를 고용한 경우(세법에서는 물적 또는 인적 시설이라는 용어를 사용함)에는 지급하는 후원수당에 부가가치세를 포함한 금액으로 다단계판매원으로부터 세금계산서를 수수하여야 한다.

(2) 다단계판매원의 미리 보는 세무

1) 부가가치세

부가가치세법에서는 다단계판매원이 제공하는 용역대가로 받는 후원수당을 독립적 인적 용역으로 규정하면서 다단계판매원 개인이 물적 시설 없이 근로자를 고용하지 않고 독립된 자격으로 용역을 공급하고 그 대가를 받는 경우 부가가치세를 면제하고 있다.

그러나, 다단계판매원이 계속적·반복적으로 사업에만 이용되는 건축물·기계장치 등의 사업설비(임차한 것을 포함)를 갖추거나 근로자를 고용하였다면, 물적 또는 인적 시설을 갖춘 다단계판매원에 해당하여 다단계판매업자로부터 받는 후원수당은 부가가치세 과세대상으로 세금계산서를 교부하여야 한다.

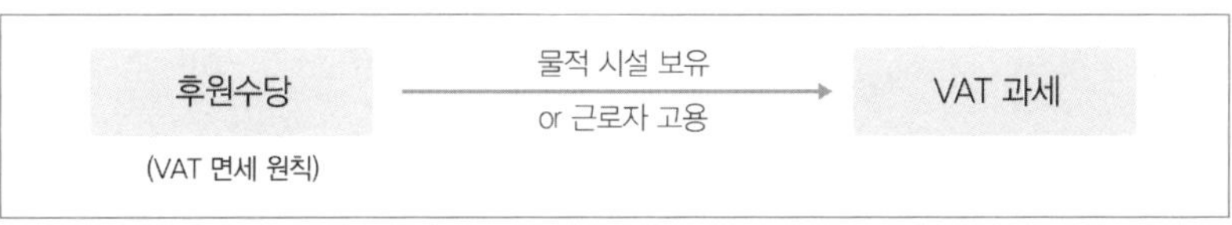

2) 종합소득세

거주자인 다단계판매원의 사업소득금액 계산에 있어서 다단계판매업자로부터 지급받은 후원수당은 인적 용역 제공에 따른 대가로서 총수입금액에 해당하며, 필요경비에 산입할 금액은 당해연도의 총수입금액에 대응하는 비용으로서 일반적으로 용인되는 통상적인 것의 합계액이 된다.

따라서, 다단계판매원은 다단계판매업자로부터 지급받는 후원수당과 이에 대한 필요경비에 대하여 장부를 작성하여 소득금액을 계산하는 것이 원칙이다. 다만, 일정 규모 미만의 영세한 사업자의 경우 과세권자가 정한 경비율에 따라 추계로 소득금액을 계산할 수 있다.

다음 장부터는, "네트워크마케팅 사업자의 세금이야기"라는 세상 속으로 본격적으로 들어가 보자.

네트워크마케팅 사업자를 위한 세금이야기

제2장 조세총괄 편

1. 세금의 종류
2. 세금과 관련된 용어의 정의
3. 납세자란 누구를 말하나?
4. 과세관서가 세금을 과세하거나 세법을 적용할 때 원칙
5. 세금이 과세되고 납세의무가 없어지는 과정
6. 국세의 소멸원인 중 국세부과의 제척기간 및 국세징수권의 소멸시효
7. 국세청의 세무조사는 언제 받게 되나?
8. 납세자의 권리구제
9. 세금고지에 대한 불복 외에 세금을 돌려받는 제도(경정청구)
10. 세금신고를 잘못하여 세금을 덜 낸 경우는 수정신고를!

1. 세금의 종류

우리는 물건을 사거나 급여 등 소득이 발생하는 일상에서 많은 종류의 세금들과 접하며 살고 있지만, 정작 세금이라는 것을 부담하는 것 자체도 인식 못한 채로 지낸다. 다시 말하면, 우리는 일상생활에서 알게 모르게 여러 종류의 세금을 내면서 살고 있다는 것이다. 그리고 세금과 관련된 일을 직업으로 하거나, 직업은 아니어도 세금업무를 잘 아는 사람조차도 일상생활에서는 그리 관심이 없다. 그러기에 세금을 잘 알지 못하는 일반인들에게는 세금문제가 발생했을 때 오죽하랴?

(1) 국세와 지방세

세금은 일반적으로 세금을 부과하는 자가 누구인지에 따라 국세와 지방세로 나눈다.

국세란, 중앙정부에서 부과하고 징수하는 세금으로 내국세와 관세로 구분된다. 내국세란, 우리나라의 영토 안에서 사람이나 물품에 대하여 부과·징수하는 세금으로 국세청에서 담당하며, 관세란 외국에서 물품을 수입할 때 부과·징수하는 세금으로 관세청에서 담당하고 있다.

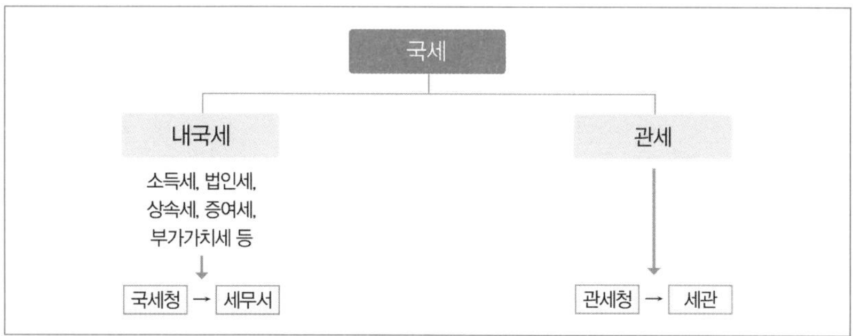

지방세는 각 지방자치단체, 즉 시·군·구청에서 지방의 공공서비스를 제공하려고 필요한 돈을 쓰기 위하여 지방자치단체별로 부과·징수하는 세금이다.

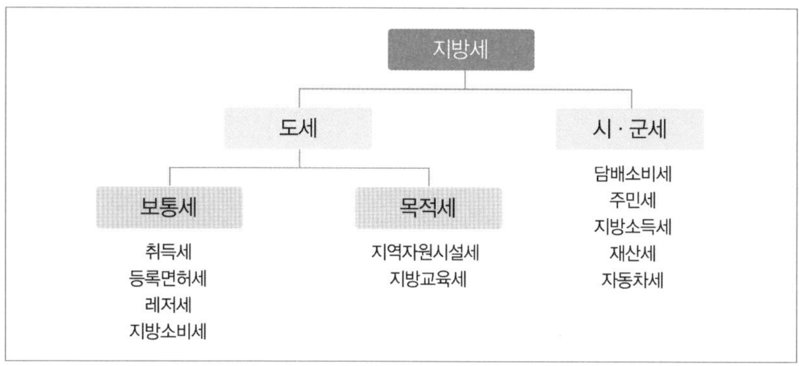

세입 실적 통계에 따르면, 국세와 지방세의 세입 실적은 다음 그림과 같다.

〈2018년 세금 통계: 국세와 지방세〉

국세 294조 원	+	지방세 84조 원	=	세금 378조 원
(77.7%)		(22.3%)		

그림 국세·지방세 세입 실적

(2) 직접세와 간접세

다시, 국세는 직접세와 간접세로 구분된다. 직접세는 세금을 부담하는 사람과 세금을 내는 사람이 동일한 세금을 말하며, 대표적인 예로 개인(또는 법인)이 벌어들인 소득에 대하여 부담하는 소득(법인)세, 상속세나 증여세 등이 여기에 해당한다. 그리고 세금을 부담하는 사람과 세금을 내는 사람이 다른 세금을 간접세라고 한다. 간접세의 대표적인 예로는 부가가치세와 특별소비세 등이 있다.

이처럼 세금을 직접세와 간접세로 구분하는 이유는 뭘까? 일반인이 굳이 직접세와 간접세를 구분하여 알 필요가 있을까 싶지만, 앞으로 이야기할 세금을 이해하는 데 매우 중요하다.

직접세와 간접세를 구분하는 이유는 사람들의 소득분배에 미치는 영향이 다르기 때문이다. 직접세는 일반적으로 개인(또는 법인)이 번 소득이며, 그 소득으로 상속·증여 등을 통해 형성한 재산에 따라 세금을 내는 구조로 소득수준, 재산보유 정도에 따라 납부해야 할 세금이 달라지게 된다.

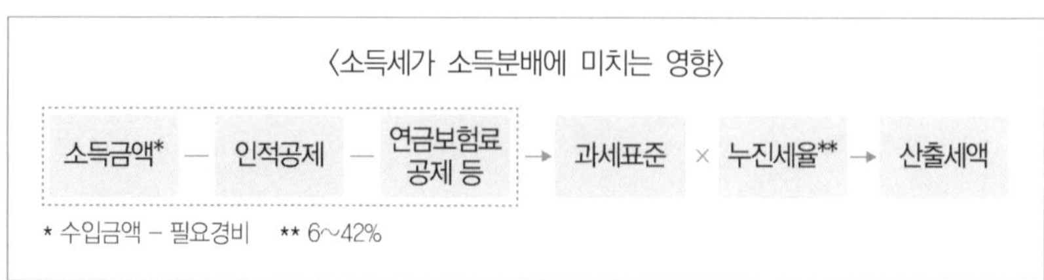

반면, 간접세는 소득이나 재산보유 수준과 관계없이 구매하는 상품금액의 일정비율(부가가치세의 경우는 상품 가액의 10%)을 세금으로 부담하므로, 같은 금액의 상품을 소비한다면 소득이나 재산의 많고 적음에 관계없이 같은 금액의 세금을 납부하게 되므로 직접세와는 달리 세금을 부담함에 있어 공평하지 않은 결과를 초래하게 된다.

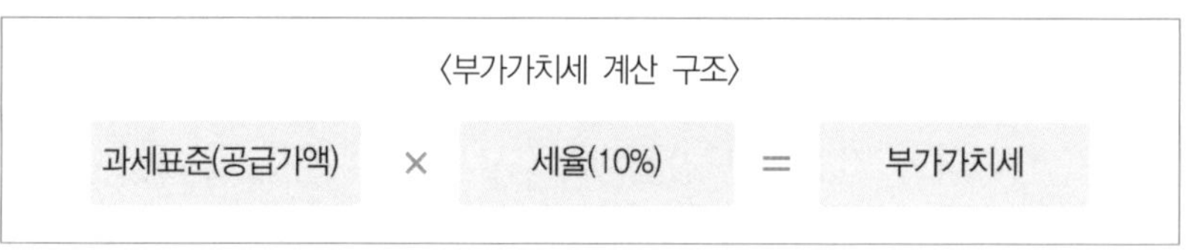

〈부가가치세 계산 구조〉
과세표준(공급가액)
세율(10%)
부가가치세

결론적으로 간접세보다는 자기가 번 소득이나 보유하고 있는 재산에 따라 납부하는 직접세의 비율이 높을수록, 우리나라가 사회주의 국가는 아니지만 부의 재분배 효과를 통해 조세의 수직적 공평을 달성한다고 할 수 있다.

〈2018년 세금 통계: 직접세와 간접세〉

2018년 예산상 직접세, 간접세 비중은 다음과 같다.

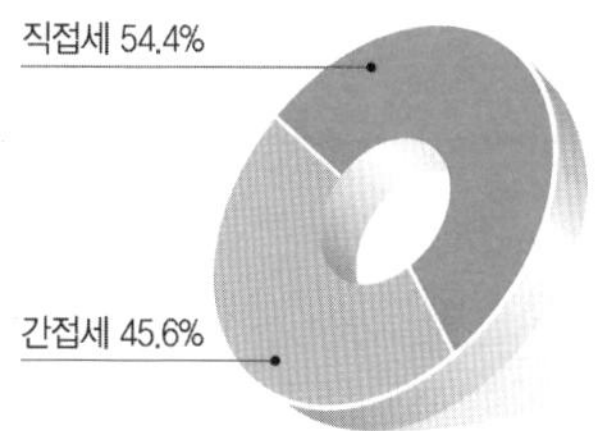

* 참고로 OECD 자료에 의하면 우리나라는 세수 중 직접세와 간접세의 비중은 51 : 49이다.

2. 세금과 관련된 용어의 정의

(1) 가산세와 가산금

세금에 익숙하지 않은 일반인들은 가산세와 가산금의 의미를 정확히 구별하지 못한다. 좀 더 과장해서 이야기하자면 세금과 공과금을 구분하지 못하는 것과 같다. 우리는 전기나 수돗물을 사용하고 내는 요금을 이야기할 때조차 전기세, 수도세라고 하는데, 정확히 이야기하면 이는 세금이 아니라 전기요금, 수도요금이라고 표현해야 한다.

"가산세"란 세법에서 정한 의무를 성실히 이행하도록 하기 위해서 의무를 불이행한 경우에 세무상 불이익을 주는 제재로서, 그 세법에 따라 계산한 산출할 세액에 더하여 징수하는 금액을 말한다. 즉, 납세자는 세법에서 정한 의무를 다하지 않아 원래 내야 할 세금에 가산세를 더하여 세금을 내는 것이다.

가산세는 국세기본법과 각 개별세법(소득세법, 법인세법, 부가가치세법 등)에 의무불이행에 따른 가산세를 부과할 수 있는 근거를 두고 있으며, 본세(원래 내야 할 세금)에 가산세를 포함하여 세금을 내도록 한다.

"가산금"은 세금을 정해진 납부기한까지 납부하지 못했을 때, 일종의 연체이자 성격으로 국세징수법(지방세의 경우는 지방세기본법)에 따라 고지세액에 가산하여 징수한 금액과 납부기한이 지난 후에 일정 기한까지 납부하지 않은 경우에 그 금액에 다시 가산하여 징수하는 금액을 말한다.

2020년부터 기존의 납부불성실가산세와 가산금이 납부지연가산세로 통합되어 매일매일 가산세가 달라진다.

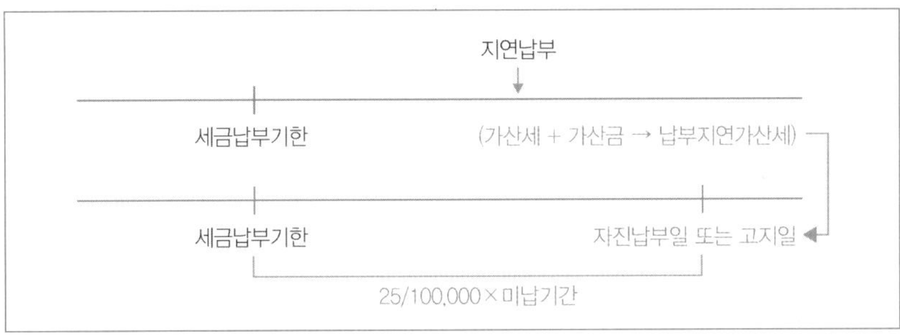

(2) 납세자

"납세자"란 납세의무자와 세법에 따라 세금을 징수하여 납부할 의무자를 말하는데, 다음 장에서 자세히 설명하고자 한다.

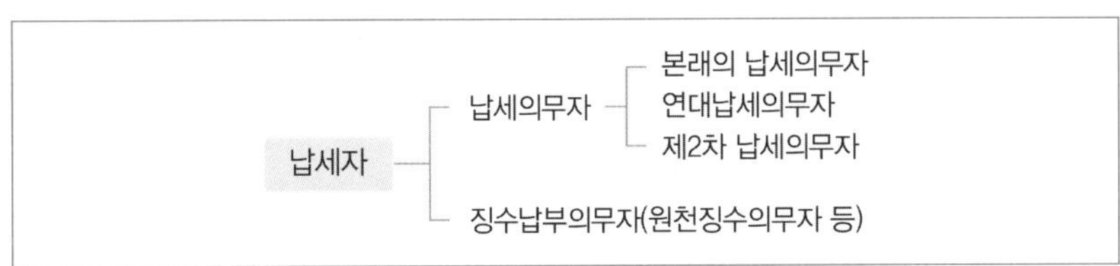

(3) 과세물건

"과세물건"이란 과세대상이라고도 하는데, 조세법규가 과세의 대상으로 정하고 있는 물건이나 행위 또는 사실을 말한다.

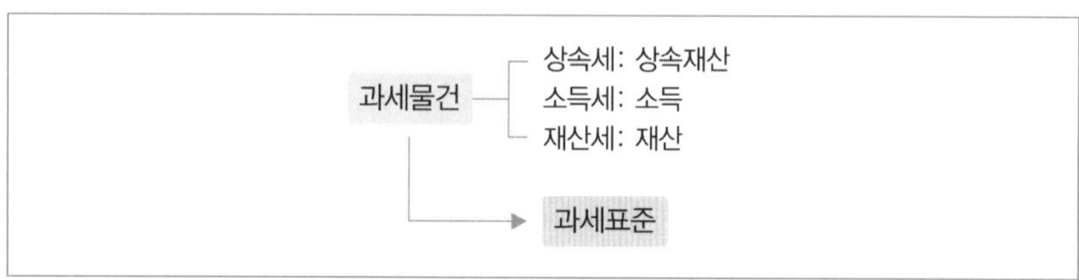

(4) 과세기간과 과세표준

"과세기간"이란, 세법에 따라 세금의 과세표준 계산에 기초가 되는 기간을 말한다. 소득세법과 부가가치세법에서는 그대로 과세기간이라 말하고, 법인세법에서는 사업연도라는 표현을 사용한다.

예를 들면, 세무서에 일반과세자로 사업자등록을 하였다면 과세기간을 1. 1.~6. 30.까지를 1기 확정, 7. 1.~12. 31.까지를 2기 확정이라 하고, 소득세법에서는 1. 1.~12. 31.까지의 1년을 과세기간이라고 한다.

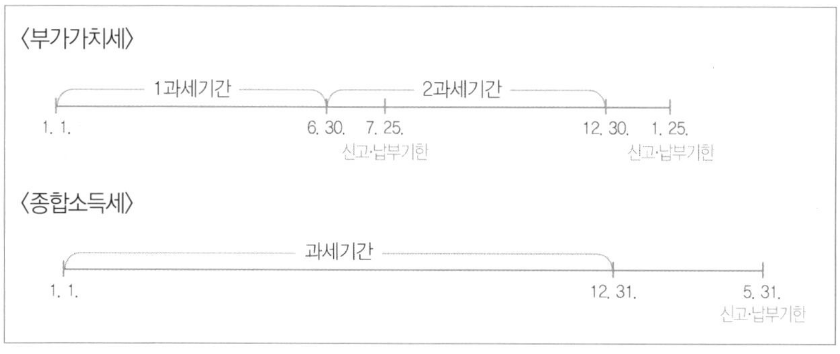

"과세표준"은 세법에 따라 직접적으로 세액산출의 기초가 되는 과세대상의 수량이나 가액을 말한다. 여기서 과세표준이 금액으로 표시하는 세금을 종가세라고 하는데, 대부분의 세금은 종가세에 해당한다. 반면, 과세표준이 수량으로 표시하는 세금을 종량세라 한다. 그 예로, 자동차세는 자동차의 배기량에 따라 세금을 부과하므로 종량세에 해당하고 자동차의 배기량이 과세표준이 된다.

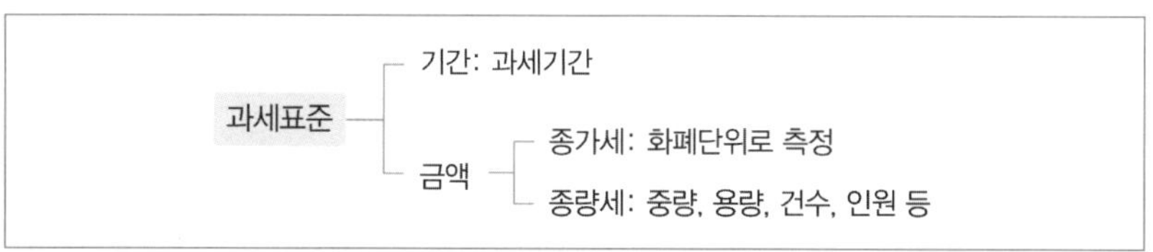

(5) 세율

"세율"이란 과세표준에 대한 세액의 비율로, 종가세의 경우는 세율이 보통 백분율로 표시되고, 종량세의 경우는 세율이 금액으로 표시된다. 소득세나 법인세의 경우는 종가세에 해당하여 과세표준이 높을

수록 세율이 높아지는 누진세율에 해당하고, 자동차세의 경우는 배기량당 일정금액으로 표시된다.

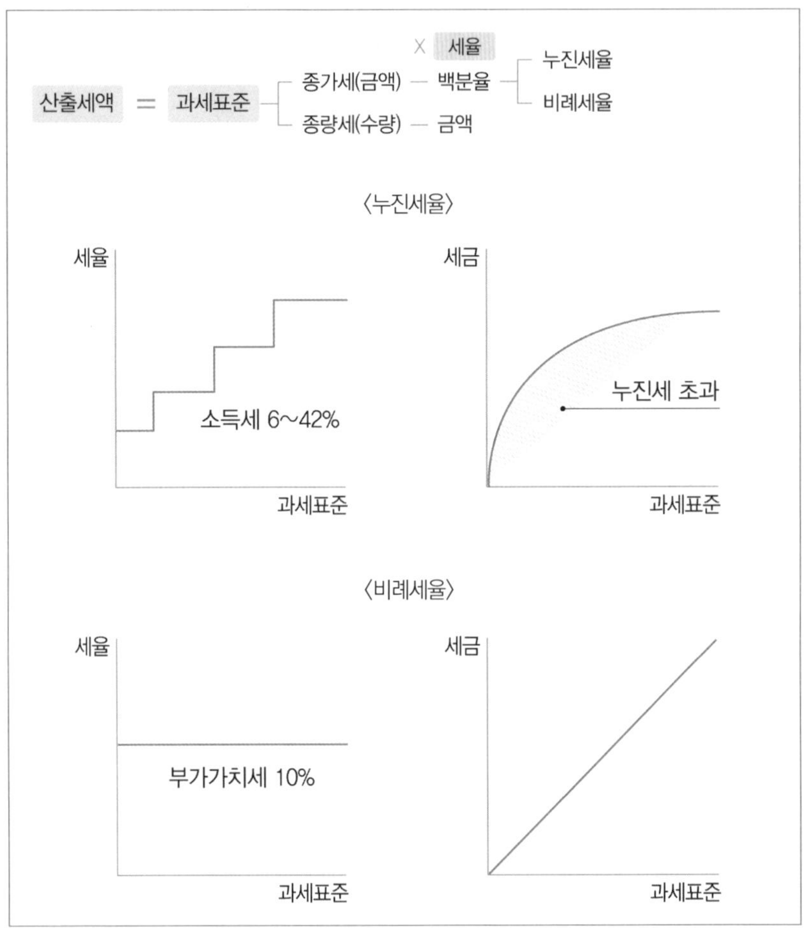

(6) 법정신고기한

"법정신고기한"이란, 세법에 따라 과세표준신고서를 제출할 기한을 말한다. 종합소득세의 법정신고기한은 매년 5월 말일이며, 부가가치세의 법정신고기한은 1기 확정신고의 경우는 7. 25.이고, 2기 확정신고의 법정신고기한은 그 다음 해 1. 25.이다. 다만, 법정신고기한이 공휴일인 경우는 공휴일의 다음 날이 법정신고기한이 된다.

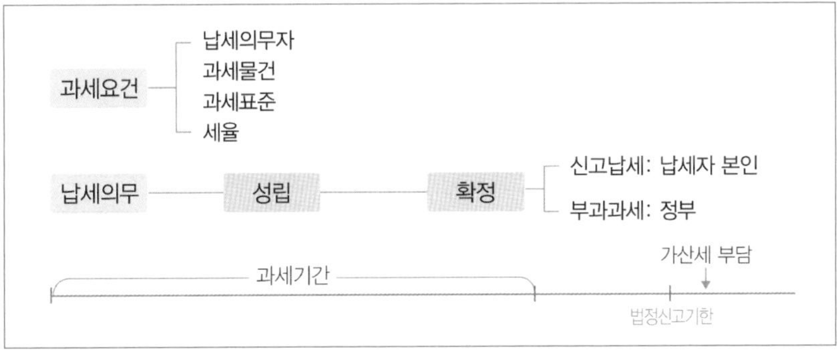

(7) 세무공무원

"세무공무원"은 국세청장, 지방국세청장, 세무서장 또는 그 소속 공무원과 세법에 따라 국세에 관한 사무를 세관장이 관장하는 경우의 그 세관장 또는 그 소속 공무원을 말한다.

(8) 세무조사

"세무조사"란 세금의 과세표준과 세액을 결정 또는 경정하기 위하여 질문을 하거나 해당 장부·서류 또는 그 밖의 물건을 검사·조사하거나 그 제출을 명하는 활동을 말한다.

- 세법에 따라 과세요건의 충족 여부를 사후적으로 확인
- 최소한의 범위에서 실시
- 다른 목적 등을 위한 남용금지
- 납세자의 사업과 관련하여 신고·납부의무가 있는 세목을 통합하여 실시하는 것이 원칙
- 조사대상자 선정 ─ 정기선정 / 수시선정

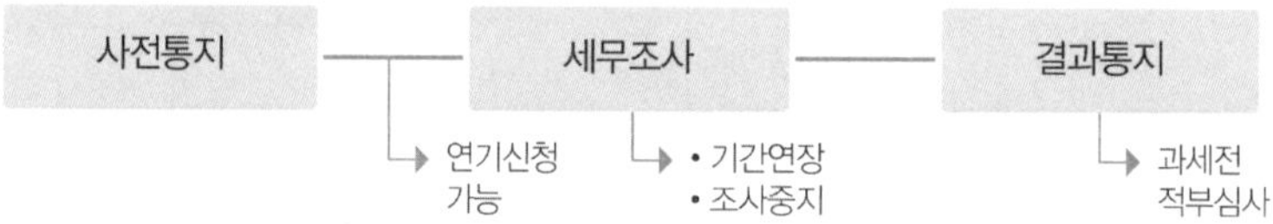

사전통지 ─ 세무조사 ─ 결과통지

- 사전통지 → 연기신청 가능
- 세무조사 → • 기간연장 • 조사중지
- 결과통지 → 과세전 적부심사

3. 납세자란 누구를 말하나?

"납세자"란, 납세의무자(연대납세의무자와 납세자를 갈음하여 납부할 의무가 생긴 경우의 제2차 납세의무자와 보증인을 포함)와 세법에 따라 세금을 징수하여 납부할 의무자를 말한다. 여기서 "납세의무자"란 세법에 따라 세금을 납부할 의무(세금을 징수하여 납부할 의무는 제외)가 있는 자를 말하며, 세금을 징수하여 납부할 의무자는 원천징수의무자라고 한다.

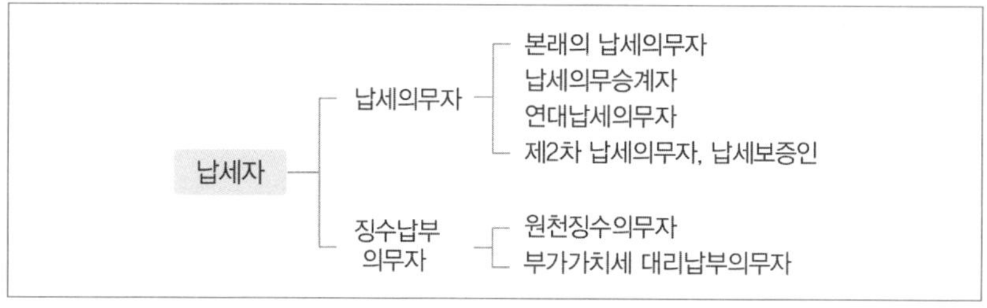

"제2차 납세의무자"는 납세자가 납세의무를 이행할 수 없는 경우에 납세자를 대신하여 납세의무를 지는 자를 말하며, "보증인"은 납세자의 세금납부를 보증한 자를 말한다. 즉, 납세자는 납세의무자의 개념을 포함하는 보다 더 큰 개념이다.

여기서 우리에게 중요한 개념이 나오는데, 앞서 말한 원천징수의무자와 관련된 내용이다. "원천징수"란, 세법에 따라 원천징수의무자가 세금을 징수하는 것을 말한다. 즉, 일정한 소득금액이나 수입금액을 지급하는 자가 그 지급하는 금액에서 지급받는 개인(법인)의 소득세(법인세)를 차감하고 나머지 잔액을 지급하는 것을 말한다.

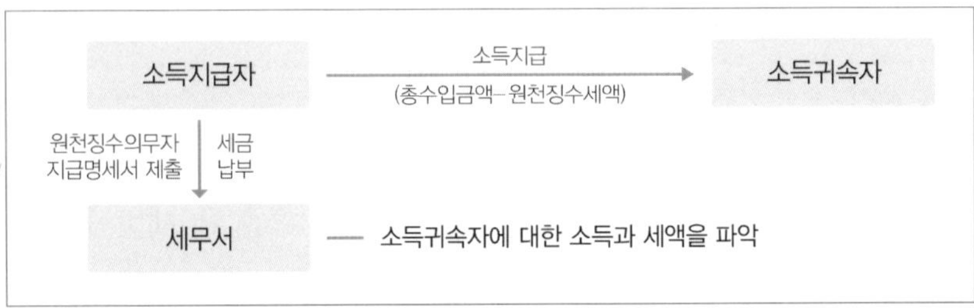

다단계판매회사(한국암웨이㈜, ㈜애터미 등)가 다단계판매원에게 매월 후원수당을 지급할 때 지급금액의 3.3%(지방소득세 포함)를 원천징수한 후에 나머지 잔액을 후원수당으로 지급하고, 원천징수한 소득세(지방소득세 포함)는 원칙적으로 다음 달 10일까지 정부에 납부하게 된다.

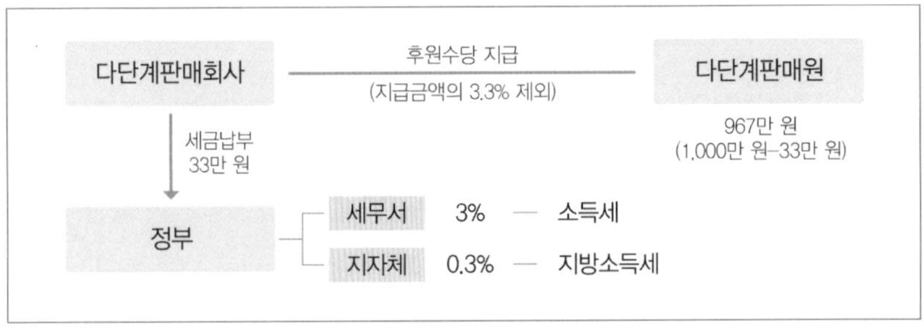

4. 과세관서가 세금을 과세하거나 세법을 적용할 때 원칙

과세관서가 납세자에게 세금을 과세할 때 원칙이 없이 세금을 내라고 하면 무슨 일이 벌어질까? 아마 그러한 일이 생긴다면 조세의 공평과세는 무너지고 말 것이다.

세금(국세, 지방세)의 부과원칙은 납세의무의 확정과정에서 지켜야 할 원칙으로, 과세관서가 납세자에게 세금을 내도록 하는 과정에서 반드시 지켜야 할 원칙을 말한다. 국세기본법과 지방세기본법에서 세금부과의 원칙을 똑같이 정하고 있는 이유이다.

또한, 세금부과의 원칙 외에도 세법의 해석과 적용 과정에서 지켜야 할 원칙이 있는데, 이를 세법적용의 원칙이라고 한다.

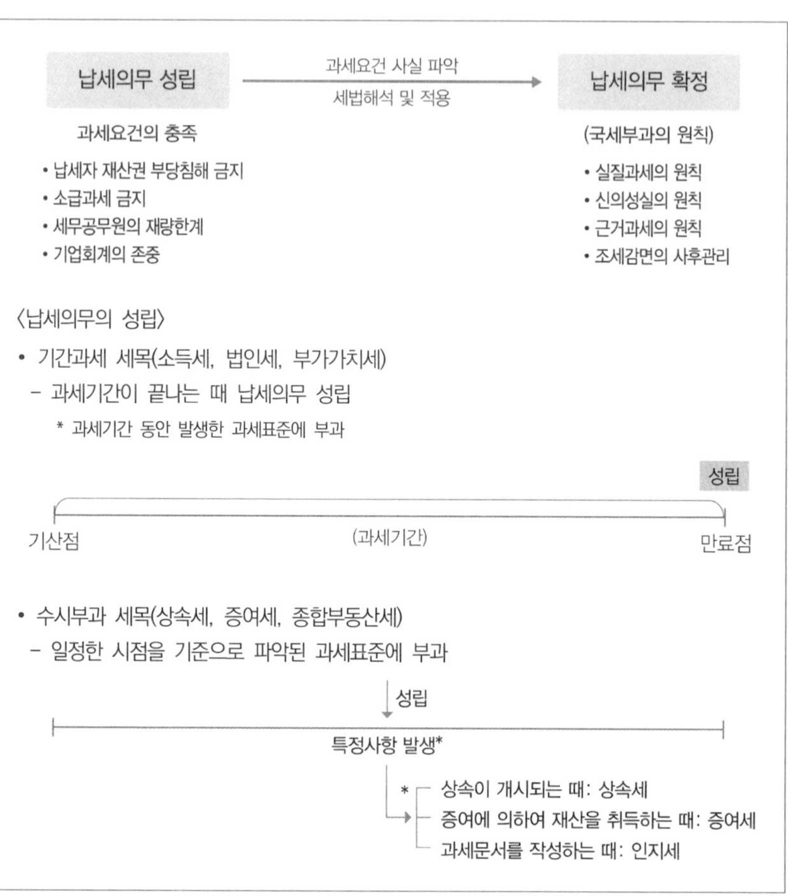
납세의무 성립
과세요건 사실 파악
세법해석 및 적용
납세의무 확정
과세요건의 충족
• 납세자 재산권 부당침해 금지
• 소급과세 금지
• 세무공무원의 재량한계
• 기업회계의 존중
(국세부과의 원칙)
• 실질과세의 원칙
• 신의성실의 원칙
• 근거과세의 원칙
• 조세감면의 사후관리
〈납세의무의 성립〉
• 기간과세 세목(소득세, 법인세, 부가가치세)
- 과세기간이 끝나는 때 납세의무 성립
* 과세기간 동안 발생한 과세표준에 부과
성립
기산점
(과세기간)
만료점
• 수시부과 세목(상속세, 증여세, 종합부동산세)
- 일정한 시점을 기준으로 파악된 과세표준에 부과
성립
특정사항 발생*
* 상속이 개시되는 때: 상속세
증여에 의하여 재산을 취득하는 때: 증여세
과세문서를 작성하는 때: 인지세

5. 세금이 과세되고 납세의무가 없어지는 과정

납세의무자와 국가 사이에 어떤 권리의무가 있는가를 조세법률관계라고 한다.[1] 그 조세법률관계의 핵심은 납세의무로, 국가는 납세의무자에게 조세채권(세금채권)을 가지게 되고 반대로 납세의무자는 국가에 조세채무(세금채무)를 부담하게 되는 것이다.

우리나라는 세금을 납세의무자가 신고하는 경우와 국가가 직접 부과하는 제도를 채택하고 있지만, 대체로 과세요건을 만족하여 납세의무가 있는 이상 국가의 행정행위를 기다리지 않고 납세의무자가 세금을 신고하여 납부할 의무를 지도록 하고 있다. 이렇게 세금을 신고·납부하는 구조하에서 조세법률관계는 채권채무관계로 규정하는 것에 대하여 다툼의 여지가 없다.

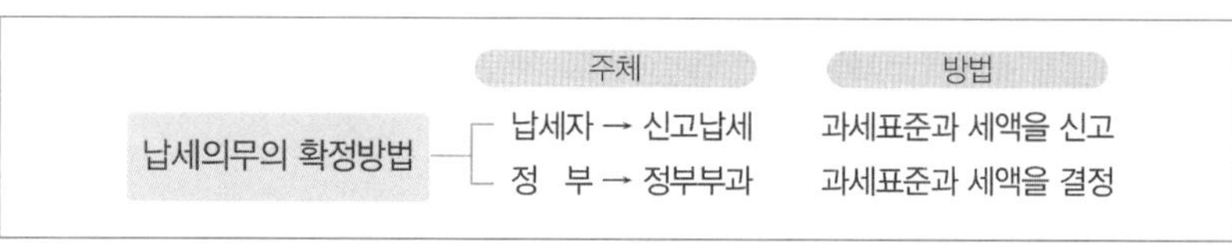

1 이창희, 「세법강의」(2015년판 조세법률관계)

그렇다면 납세의무자와 국가 사이의 조세법률관계를 채권채무관계로 규정한다면, 세금은 어떤 법적 절차를 거쳐 납부할 금액이 확정되는 것일까? 그리고 납세의무자는 납부할 금액을 납부하면 납세의무는 끝나는 것일까? 하는 질문을 할 수 있다.

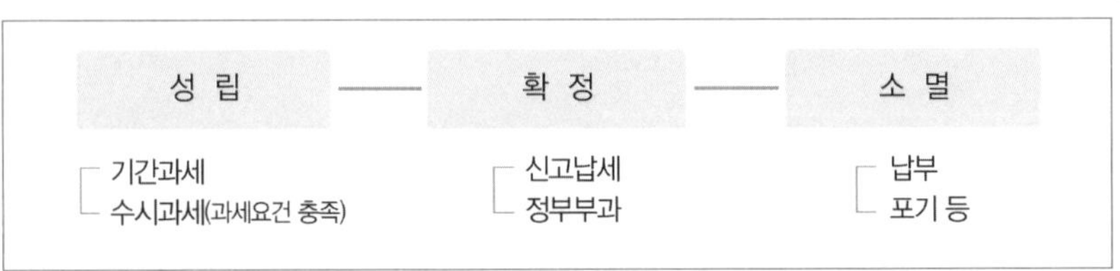

(1) 조세채권의 성립

국세기본법에서는 조세채권이 성립된 후 확정되는 절차, 그리고 조세채무의 소멸에 대하여 규정하고 있다. 어떤 사람이 국가에 세금을 내고 싶다고 자기 마음대로 국가에 세금을 내거나 물론 이런 사람은 없겠지만, 반대로 국가가 그의 의사와 관계없이 세금을 부과하거나 내도록 할 수는 없다. 조세채무는 법률이 정한 과세요건이 충족되는 때에는 그 조세채무의 성립을 위한 과세관청이나 납세의무자의 특별한 행위가 필요 없이 당연히 자동적으로 성립하는 것이다. 이러한 조세채무의 성립은 세법에서 정한 과세요건을 만족하면 조세채무는 이미 생긴 것이고, 한번 벌어진 사실은 취소할 길이 없기 때문에 조세채무가 일단 생기면 변경되지 않음이 원칙이다. 다만, 예외적으로 과세요건이 사법상의 법률행위로 이루어진 경우에는 이 법률행위의 취소나 해제로 조세채무의 성립에 변경이 생길 수는 있다. 예를 들면, 아파트를 취득하는 매매계약을 한 후에 잔금을 치루게 되면 취득세 납세의무가 성립한다. 그런데 취득세 신고기한 안에 매매계약을 법정해제한다면 취득세 납세의무가 없어진다.

결론적으로 조세채권의 성립은 납세의무의 성립에 필요한 법률상 요건으로 과세요건이 충족되는 시점, 즉 과세물건이 납세의무자에게 귀속됨으로써 세법이 정하는 바에 따라 과세표준의 계산 및 세율이 가능하게 되는 시점에 납세의무가 성립하는 것이다. 그래서 국세기본법 제21조에서는 국세를 납부할 의무는 다음과 같은 시기에 성립한다고 규정하고 있다.

1) 납세의무의 성립시기

① 원칙적인 성립시기

<table>
<tr><th colspan="2">구분</th><th>납세의무의 성립시기</th></tr>
<tr><td rowspan="3">기간과세세목[2]</td><td>소득세</td><td rowspan="3">과세기간이 끝나는 때</td></tr>
<tr><td>법인세</td></tr>
<tr><td>부가가치세</td></tr>
<tr><td rowspan="4">수시과세세목[3]</td><td>상속세</td><td>상속이 시작되는 때</td></tr>
<tr><td>증여세</td><td>증여에 의하여 재산을 취득하는 때</td></tr>
<tr><td>종합부동산세</td><td>과세기준일(매년 6월 1일)</td></tr>
<tr><td>인지세</td><td>과세문서를 작성하는 때</td></tr>
<tr><td colspan="2">가산세</td><td>가산할 국세의 납세의무가 성립하는 때</td></tr>
</table>

2 일정한 기간을 단위로 파악된 유량(flow)에 대하여 부과하는 조세

3 일정한 시점을 기준으로 파악된 저량(stock)에 대하여 부과하는 조세

② 예외적인 성립시기

구분	성립시기
원천징수하는 소득세, 법인세	소득금액 또는 수입금액을 지급하는 때
중간예납하는 소득세, 법인세	중간예납기간이 끝나는 때
예정신고기간, 예정부과기간에 대한 부가가치세	예정신고기간, 예정부과기간이 끝나는 때
수시부과하여 징수하는 국세	수시부과할 세액이 발생한 때

(2) 조세채권의 확정

위 표에서 조세채권의 성립시기를 보았는데, 조세채권이 성립된 후 조세채권이 확정되는 날이란 언제일까?

결론부터 말하면, 조세채권의 확정은 이미 성립한 납세의무에 대하여 과세요건 사실을 파악하고 세법을 적용하여 과세표준에 세율을 곱하여 세액을 계산하는 등 납세의무자가 부담할 세금을 구체적으로 확인하는 절차를 말한다. 조세채권의 확정시기는 납세의무자가 과세표준과 세액을 정부에 신고하는 행위 또는 정부가 과세표준으로 세액을 결정하는 행위로 나눈다.

1) 납세의무 확정제도

구분	내용
신고납세제도	① 납세의무자의 신고에 의하여 과세표준과 세액을 확정하는 제도로 확정의 권한은 1차적으로 납세의무자에게 부여하고, 납세의무자의 신고가 없거나 신고내용에 오류나 탈루가 있는 경우는 2차적, 보충적 지위에 있던 과세관청의 결정권 또는 경정결정권이 발동된다. ② 소득세, 법인세, 부가가치세, 개별소비세, 증권거래세, 주세는 해당 국세의 과세표준과 세액을 과세관청에 신고하는 때에 그 납세의무가 확정된다. 다만, 예외적으로 해당 국세의 과세표준과 세액을 정부가 결정하는 경우 그 결정하는 때 납세의무가 확정된다.
정부부과제도	① 과세관청의 부과처분에 의하여 과세표준과 세액을 확정하는 제도로 정부부과제도에 있어 납세의무자의 신고는 단지 세법상 협력의무의 이행에 불구하며, 정부부과제도에서 신고는 확정력이 없다. ② 상속세, 증여세, 종합부동산세는 해당 국세의 과세표준과 세액을 정부가 결정하는 때에 납세의무가 확정된다. 이 경우 과세표준과 세액의 결정통지서(또는 납세고지서)가 납세의무자에게 도달하여야 그 확정의 효력이 발생한다.
성립과 동시에 자동확정되는 국세	인지세, 원천징수하는 소득세 또는 법인세, 중간예납하는 법인세(세법에 따라 정부가 조사, 결정하는 경우는 제외)는 납세의무가 성립하는 때에 특별한 절차 없이 그 세액이 확정된다.

(3) 조세채무의 소멸

조세채무의 소멸원인으로서 가장 일반적인 것은 납세의무자가 국가에 세금을 납부하는 것이다. 그렇다면 조세채무가 소멸되는 원인은 세금을 납부하는 것만 있는 것인가? 하는 의문을 가질 수 있다. 조세채권이 성립·확정된 납세의무는 여러 가지 원인에 의하여 조세채무가 소멸되는데, 그 구체적인 사유는 아래 표로 쉽게 설명된다.

1) 조세채무의 소멸원인

<table>
<tr><th>구분</th><th>조세채무의 소멸</th><th>내용</th></tr>
<tr><td rowspan="2">만족을 얻으면서 소멸하는 사유</td><td>① 납부</td><td>세금을 국가에 납부하는 것</td></tr>
<tr><td>② 충당</td><td>납부할 국세 등과 국세환급금을 상계하거나 공매대금으로 체납액에 충당</td></tr>
<tr><td rowspan="3">만족을 얻지 못하면서 소멸하는 사유</td><td>① 부과취소</td><td>유효하게 행해진 부과처분을 당초 처분시점으로 소급하여 효력을 상실시키는 처분</td></tr>
<tr><td colspan="2">② 국세부과의 제척기간의 만료</td></tr>
<tr><td colspan="2">③ 국세징수권 소멸시효의 완성</td></tr>
</table>

이러한 조세채권의 성립·확정 및 조세채무의 소멸되는 일련의 절차를 다단계판매회사 또는 다단계판매원에게 관련된 세금을 중심으로, 아래 표로 보면 쉽게 이해할 수 있다.

<표> 조세채권의 성립·확정 및 조세채무의 소멸

<table>
<tr><th>구분</th><th>조세채권의 성립</th><th>조세채권의 확정</th><th>조세채무의 소멸</th></tr>
<tr><td>소득세</td><td rowspan="3">과세기간이 끝나는 때</td><td rowspan="3">납세의무자가 과세표준과 세액을 과세관청에 신고하는 때</td><td rowspan="7">납부/충당, 부과취소/국세부과의 제척기간 만료/국세징수권 소멸시효 완성</td></tr>
<tr><td>법인세</td></tr>
<tr><td>부가가치세</td></tr>
<tr><td>종합부동산세</td><td>매년 6월 1일</td><td rowspan="3">과세관청이 과세표준과 세액을 결정하는 때</td></tr>
<tr><td>상속세</td><td>상속이 개시된 때</td></tr>
<tr><td>증여세</td><td>증여로 재산취득시</td></tr>
<tr><td>원천징수하는 소득세</td><td colspan="2">소득금액 또는 수입금액을 지급하는 때</td></tr>
</table>

6. 국세의 소멸원인 중 국세부과의 제척기간 및 국세징수권의 소멸시효

조세채권이 실현되지 않고 소멸하는 사유로, 첫째 국세부과의 제척기간이 만료되는 경우, 둘째 국세징수권의 소멸시효가 완성되는 경우가 있다. 조세채권은 부과권과 징수권의 두 단계로 나눈다. 이미 보았듯이 조세채권의 성립시기와 확정시기 사이에는 시차가 있다. 즉, 일정한 과세기간이 있는 세금이라면 과세기간의 종료로 조세채권은 성립하지만, 그 뒤에 납세의무자가 국가에 자기가 내야 할 세금을 얼마라고 신고하거나 국가가 납세의무자에게 세금을 얼마 내라고 과세표준과 세액을 확정하는 행위가 뒤따른다고 보았다. 여기서 납세의무의 성립은 되었으나 아직 확정되지 않은 단계의 조세채권을 "부과권"이라 하고, 과세표준과 세액이 확정된 조세채권을 "징수권"이라 부른다.

그런데 1984년 이전의 옛 법에서는 국세를 부과할 수 있는 기간을 정하지 않아 과세관청은 영원히 납세의무자를 따라다닐 수 있었고, 국세의 징수를 목적으로 하는 권리는 이를 행사할 수 있는 때로부터 5년간 행사하지 않으면 소멸시효가 완성한다라고 규정하고 있었다. 그렇다면 납세의무자가 세금을 누락하였다 하더라도 조세채권이 영원히 간다는 것은 곤란할 것이다. 이에 따라 나온 조문이 국세부과의 제척기간이다.

(1) 국세부과의 제척기간 의의

국세부과의 제척기간이란 과세관청이 국세를 부과할 수 있는 일정한 법정기간을 말하며, 부과제척기간이 만료되면 원칙적으로 과세관청의 부과권이 소멸되어 납세의무자의 납부의무도 소멸하게 된다. 국세부과의 제척기간으로 인하여 조세채권, 채무관계를 조속히 확정시켜 납세의무자의 조세법률관계를 안정시키기 위한 제도로서 시효의 중단이나 정지제도는 없다는 것이 특징이다.

일반적으로 국민들은 국세부과의 제척기간이 5년이라고 알고 있다. 그러나 무조건 5년이라고 생각하면 큰 코를 다칠 수 있다. 왜냐하면 제척기간은 세금의 종류마다 다르고, 세금을 누락하는 의도에 따라 다를 수 있기 때문이다.

부과제척기간			경과시
기산점*	중단, 정지 없이 5년, 7년, 10년, 15년	만료점	부과권 소멸

* 소득세, 부가가치세: 과세표준 신고기한의 다음 날
* 원천징수세액: 원전징수세액의 법정납부기한의 다음 날

(2) 국세부과의 제척기간

1) 상속세, 증여세 이외의 국세

구분	제척기간
① 납세자가 사기, 기타 부정한 행위[1]로 세금을 포탈하거나 환급·공제받는 경우에는 신고기한의 다음 날부터	10년
② 납세자가 국제거래[2]에서 발생한 부정행위로 세금을 포탈하거나 환급·공제받는 경우에는 신고기한의 다음 날부터	15년
③ 납세자가 실물거래 없이 허위로 세금계산서, 계산서를 발급하거나 발급받은 경우	10년
④ 법정신고기한까지 과세표준신고서를 제출하지 않은 경우(무신고시)에는 신고기한의 다음 날부터	7년
⑤ 위 ①~④에 해당하지 않는 경우 신고기한의 다음 날부터	5년

---

1 사기나 그 밖의 부정한 행위란 다음의 어느 하나에 해당하는 행위로써 세금을 과세하거나 징수를 불가능하게 하거나 현저히 곤란하게 하는 적극적 행위를 말한다.
① 이중장부의 작성 등 장부의 거짓 기장
② 거짓증빙 또는 거짓 문서의 작성 및 수취
③ 장부와 기록의 파기
④ 재산의 은닉, 소득, 수익, 행위, 거래의 조작 또는 은폐 등
⑤ 고의적으로 장부를 작성하지 않는 행위나 (세금)계산서 또는 (세금)계산서합계표의 조작 등

2 역외탈세(국가 간 거래)의 경우 과세정보 획득과 적발이 어려우므로, 국내 탈세에 비해 부과제척기간을 연장하여 끝까지 과세하겠다는 의지와 노력이 보인다.

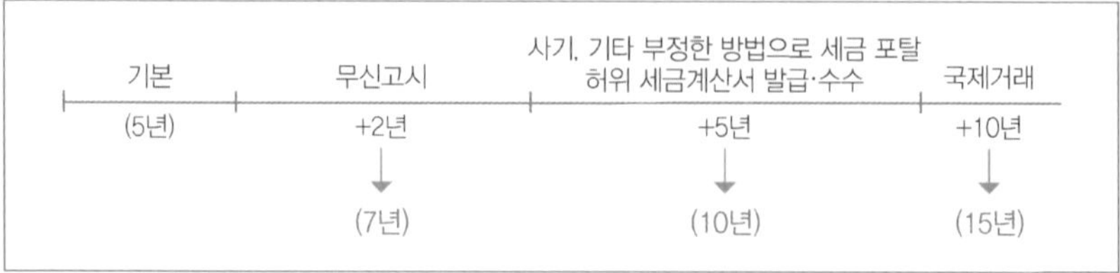

2) 상속세, 증여세

구분	제척기간
① 납세자가 사기, 기타 부정한 행위로 상속세, 증여세를 포탈하거나 환급·공제받는 경우는 신고기한의 다음 날부터	15년
② 신고서를 제출하지 아니하였거나 허위신고 또는 누락신고를 한 경우는 신고기한의 다음 날부터	
③ 그 밖의 경우에는 신고기한의 다음 날부터	10년

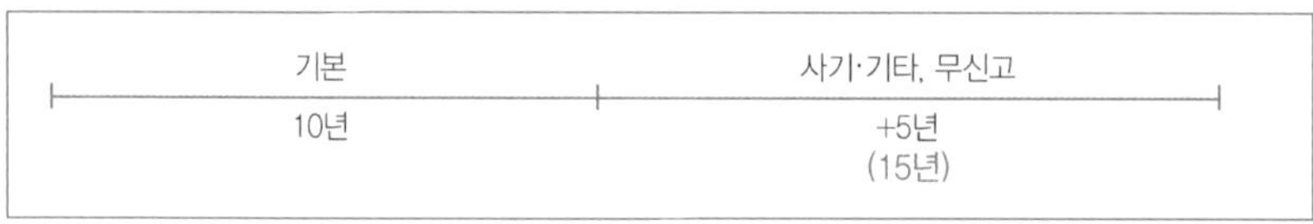

3) 사기, 기타 부정한 행위로 상속세, 증여세를 포탈한 경우 특례적용

납세자가 사기, 기타 부정한 행위로 상속세, 증여세를 포탈하는 경우로 아래에 해당하면 당해 재산의 상속·증여가 있음을 안날로부터 1년 이내에 상속세 또는 증여세를 부과할 수 있다.

① 제3자 명의로 되어 있는 피상속인 또는 증여자의 재산을 상속인 또는 수증자가 보유하고 있거나 자신들의 명의로 실명전환을 한 경우

② 계약에 의하여 피상속인이 취득할 재산이 계약이행기간 중에 상속이 개시됨으로써 등기·등록 또는 명의개서가 이루어지지 아니하여 상속인이 취득한 경우
③ 국외에 있는 상속재산이나 증여재산을 상속인 또는 수증자가 취득한 경우
④ 등기·등록 또는 명의개서가 필요하지 아니한 유가증권, 서화, 골동품 등 상속재산 또는 증여재산을 상속인이나 수증자가 취득한 경우
⑤ 수증자의 명의로 되어 있는 증여자의 「금융실명거래 및 비밀보장에 관한 법률」 제2조 제2호에 따른 금융자산을 수증자가 보유하고 있거나 사용 수익한 경우

4) 조세쟁송 적용특례

조세쟁송의 경우는 이의신청, 심사청구, 심판청구, 감사원법에 의한 심사청구 또는 행정소송법에 의한 소송을 제기한 경우에는 일반적인 제척기간이 경과하였더라도 그 결정 또는 판결이 확정된 날로부터 1년이 경과하기 전까지는 당해 결정 또는 판결에 따라 경정결정을 하거나 기타 필요한 처분을 할 수 있다.

5) 이월결손금 공제에 따른 적용특례

5년(무신고의 경우 7년)을 초과하여 이월결손금을 공제받는 경우는 해당 결손금이 발생한 과세기간의 소득세 또는 법인세는 이월결손금을 공제한 과세기간의 법정신고기한으로부터 1년간을 부과제척기간으로 한다.

(3) 국세징수권 소멸시효의 의의

납세자가 과세관청에 세금신고를 한 후에 납부하지 않아 세금이 고지된 경우 또는 과세관청이 결정하는 세금의 경우 세금을 고지하였으나 납세자에게 재산이 없는 등의 사유로 세금을 징수할 수 없어 세금이 체납되는 경우가 있다.

일단, 세금이 체납되면 과세관청은 납세자에게 그 납부를 이행하도록 청구(납세고지, 독촉, 체납처분 등)하는 권리를 앞서 말한 국세징수권이라고 한다. 소멸시효는 과세관청이 독촉, 납부최고, 교부청구 등 세금을 징수하기 위한 조치를 일정기간 동안 행하지 않으면 세금을 징수할 수 있는 권리가 소멸하는데, 이를 국세징수권의 소멸시효라고 한다.

예전에는 밀린 세금의 많고 적음에 관계없이 국세징수권이 5년이었으나, 지금의 국세징수권은 이를 행사할 수 있는 때부터 5년(5억원 이상인 경우는 10년[3])간 행사하지 않으면 소멸시효가 완성된다.

국세의 징수를 목적으로 하는 국가의 권리를 행사할 수 있는 때라 함은 납부기한의 다음 날이다. 위에 적힌 기산일부터 5년이 지나면 징수권은 시효로 인하여 소멸한다. 여기서 납부기한의 다음 날이란 다음 표와 같다.

---

3 2013년 1월 1일 개정

구분	소멸시효의 기산일
① 과세표준과 세액의 신고에 따라 납세의무가 확정되는 국세의 경우 신고한 세액	그 법정 신고납부기한의 다음 날
② 과세표준과 세액을 정부가 결정, 경정 또는 수시부과결정하는 경우 납세고지한 세액	그 납세고지에 따른 납부기한의 다음 날
③ 원천징수의무자가 징수하는 국세의 경우 납세고지한 원천징수세액	그 고지에 따른 납부기한의 다음 날
④ 법정 신고·납부기한이 연장된 경우	그 연장된 기한의 다음 날

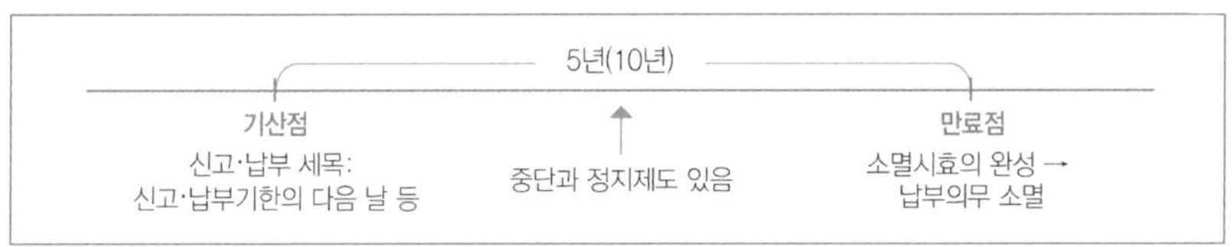

(4) 소멸시효의 중단과 정지

납세자가 주의해야 할 부분이 국세징수권은 무조건 5년(5억 원 이상인 경우 10년)이 지나면 소멸시효의 완성으로 체납된 세금이 없어지는 것으로 잘못 알고 있는 경우가 많다. 그래서 세금이 체납되고 5년이 지난 시점에도 세무서에 사업자등록을 하려고 해도 밀린 세금이 소멸하지 않고 남아 있거나 또는 신용정보회사에 신용불량정보가 계속 제공되는 경우, 고액체납자로 명단공개가 되는 일이 비일비재하다.

왜냐하면, 법에서 정한 중단사유가 있으면 시효의 진행이 중단되고, 그런 사유가 없어진 때로부터 시효가 새로이 진행한다. 정지사유가 있는 경우는 그동안만 시효가 진행하지 않는다.

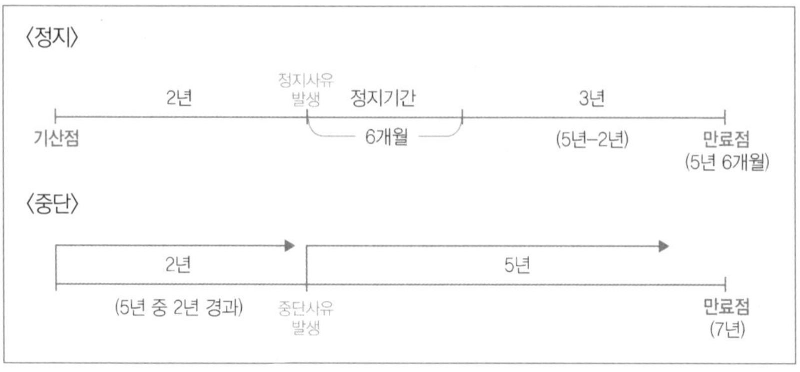

즉, 과세관서에서 국세징수권이 소멸되는 중간에 납세의 고지, 독촉, 교부청구 및 압류 등의 조치를 하게 되면 그때까지 진행되어 온 시효기간은 효력을 잃는다. 따라서 이 경우에 해당하면 고지, 독촉, 교부청구 중의 기간, 압류해제까지의 기간이 경과한 때로부터 새로이 5년이 경과되어야 소멸시효가 완성되는 것이다.

또한, 시효의 진행 중에 징수유예기간, 연부연납기간, 체납처분유예기간이나 체납자가 국외에 6개월 이상 계속 체류하는 경우, 사해행위취소소송이나 채권자 대위소송이 있는 경우는 그 기간만큼 시효의 진행이 일시 정지되며, 정지사유가 끝난 후에 나머지 기간의 진행으로 그 전에 지나간 기간과 합하여 5년이 경과하면 시효가 비로소 완성된다.

7. 국세청의 세무조사는 언제 받게 되나?

세무공무원은, 납세자는 성실하며 납세자가 제출한 신고서 등이 진실한 것으로 추정하도록 규정[1]하고 있다.

이러한 납세자의 성실성 추정 규정이 있음에도 세무공무원에게 주어진 권한 중 납세자가 가장 두렵게 생각하는 것이 무엇인지 묻는다면, 열이면 열 모두 "세무조사"라고 말한다. 그러나 통계적으로 보면 외형이 작은 개인이나 법인사업자가 과세관청(서)의 세무조사를 받을 가능성은 매우 낮다.

그럼에도 불구하고 납세자가 세무조사를 가장 두렵게 생각하는 것은 왜일까? 이는 납세자 스스로가 생각하기에 성실히 세금신고를 하지 않았다고 느끼기 때문이지 않을까? 반면 성실히 세금신고를 한 납세자까지도 세무조사에 대한 두려움을 갖는다면, 이는 세무조사에 대한 잘못된 인식 때문이 아닐까 싶다.

1 국세기본법 제81조의3(납세자의 성실성 추정)

즉, 납세자는 지금도 필자에게 이렇게 묻곤 한다. 세무조사가 나오게 되면 얼마의 세금을 거둬가겠다는 할당량을 가지고 나오지 않느냐고? 과거에는 세무조사를 나올 때 얼마의 추징세액을 목표로 하고 나왔는지 모르겠지만(사실 필자는 얼마의 추징세액을 목표로 조사에 임한 적은 없었던 것으로 기억한다), 지금은 (전자)세금계산서, 계산서, 신용카드, 현금영수증 등 과세인프라가 잘 갖추어져 세금을 누락시킬 방법이 많지 않은데다 성실신고하는 자의 증가로 얼마를 목표로 세무조사에 임하지 않는다고 말한다.

(1) 세무조사권

우리나라는 앞에서 보았듯이 전체적인 세수를 거두어 들이는 입장에서는 정부부과과세제도보다는 신고납부과세제도를 취하고 있다. 즉, 소득세와 법인세, 부가가치세가 전체 세수의 76.8%를 차지하고 있는데, 이는 납세자가 신고하여 납부하는 방식이다. 그렇기에 1차적으로 납세자만이 세금에 대한 성립과 확정이라는 과세요건이 충족되었는지를 알고, 세무공무원은 결국 납세자의 신고에 의존하여 과세요건의 만족 여부를 검증할 수밖에 없다.

이 때문에 세법은 세무공무원에게 질문검사권을 주어 납세의무자나 관계인에게 필요한 질문을 하고, 관계서류나 장부 기타 필요한 물건을 검사할 수 있게 정하고 있다.

세무조사에서 가장 중요한 문제는 국가채권의 보호와 납세의무자의 권리 사이에서 어떻게 균형을 찾을 것인가에 있다. 법은 납세자의 성실성을 추정하고 있고[2] 세무조사는 필요한 최소한의 범위에 그쳐야 하고, 과세 외의 다른 목적을 위해 조사권을 남용해서는 안된다. 세무조사의 기간과 범위에도 제약[3]이 있다.

세무조사는 정기선정과 비정기선정의 방법으로 조사대상자를 선정하여 세무조사를 실시한다. 현행법에서 정기 세무조사대상자 선정은 정기적 성실도 분석상 혐의가 있는 경우, 4과세기간에 한번 조사받는 것, 통계적 무작위 추출의 방법을 이용하여 납세의무자가 불평을 할 수 없게 되어 있다. 다만, 비정기 세무조사대상자의 선정은 ① 납세자가 세법에서 정한 신고, 세금계산서 또는 계산서의 작성이나 교부 등의 납세협력의무를 다하지 않는 경우 ② 무자료 거래, 위장 가공거래 등의 사실과 다른 혐의가 있는 경우 ③ 납세자에 대한 구체적인 탈세제보나 신고내용에 명백한 세금탈루를 인정할 자료가 있는 경우 등 조사할 만한 법정 사유가 있어야 조사대상자가 된다.

(2) 세무조사시 납세자의 권리

세법은 세무조사의 남용을 막기 위해 납세의무자에게 비밀을 보호받을 권리, 변호사, 회계사, 세무사 등 전문가의 도움을 받을 권리, 필요한 정보를 제공받을 권리, 세무조사의 결과를 통지받을 권리 등 그 밖에도 여러 가지 세무조사와 관련된 절차적 권리를 주고 있다.

---

2 세금 신고를 하였다면 납부를 못했더라도 성실성을 추정한다.

3 국세기본법 제81조의8(세무조사의 기간) 및 같은 법 제81조의9(세무조사 범위확대의 제한)

세무공무원이 세무조사를 실시할 경우, 납세자가 받아야 하는 세무조사의 단계별 권리는 다음과 같다.

먼저, 세무조사를 시작하기 전에 과세관청(서)은 세무조사사전통지서를 조사개시 전 15일 전에 조사대상세목, 조사기간과 조사사유 등을 통지하여야 한다. 다만, 비정기조사대상자에게는 세무조사사전통지를 생략할 수 있다. 사전통지를 받은 납세자는 천재지변, 화재 등의 사업상 심각한 어려움이 있다면 세무조사를 연기해 줄 것을 신청할 수 있다.

그리고 세무조사에 착수한 때에는 납세자권리헌장의 내용이 수록된 문서를 주고 그 요지를 직접 낭독해 주어야 하며, 조사사유와 조사기간 그리고 납세자권리위원회에 심의요청절차 및 권리구제 절차 등을 설명하여야 한다.

세무조사시에는 적정하고 공평한 과세를 실현하기 위하여 최소한의 범위에서 세무조사를 하여야 하며, 다른 목적 등을 위하여 조사권을 남용해서도 안 된다. 아울러 세무조사는 같은 세목 및 같은 과세기간에 대하여 재조사를 할 수 없는 것이 원칙이나, 예외적으로 법에서 정한 특별한 사유[4]에 해당하면 재조사를 할 수도 있다. 그리고 납세자는 세무조사를 받는 경우 세무대리인으로 하여금 조사에 참여하거나 납세자를 대신하여 의견을 진술케 할 수 있는 권리가 있다.

---

4 ① 조세탈루의 혐의를 인정할 만한 명백한 자료가 있는 경우
② 거래상대방에 대한 조사가 필요한 경우
③ 2개 이상의 과세기간과 관련하여 잘못이 있는 경우(이하 생략)

세무공무원은 세무조사를 연장하거나 중지할 수 있는데, 이는 납세자의 신청에 의해서도 할 수 있고 세무공무원이 연장이나 중지가 필요하다고 할 만한 사유에 해당하면 직권으로도 세무서장이나 지방국세청장의 승인을 받아 연장 및 중지가 가능하다. 그리고 세무공무원은 세무조사 기간을 연장하는 경우에는 그 사유와 기간을 납세자에게 문서로 통지하여야 하고, 세무조사를 중지 또는 재개하는 경우는 그 사유를 납세자에게 문서로 통지하여야 한다.

세무조사를 마쳤을 때에는 그 조사결과를 서면으로 납세자에게 통지하여야 하고, 이에 대해서는 세금을 부과받기에 앞서 과세전적부심사를 구할 수 있는데, 이에 대해서는 납세자의 권리구제 편에서 자세히 다루기로 한다.

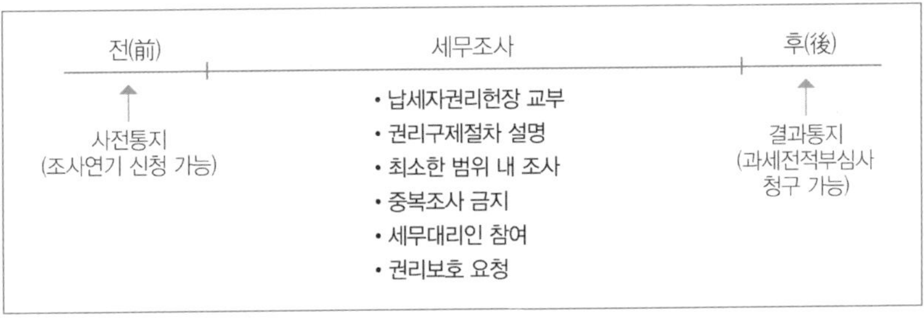

8. 납세자의 권리구제

우리는 사업을 하거나 재산을 취득하고 보유하다 양도하는 경우 등의 다양한 경제활동을 한다. 그러한 경제활동 중에 우리가 예상했던 바와 다른 결과가 나오기도 한다. 예를 들면, 내가 다단계판매원인 경우 직전연도 사업수입금액에 따라 소득세 신고방법이 정해지는데, 직전연도에 받은 후원수당을 기준으로 필요경비를 단순경비율로 신고했는데 다른 사업 수입금액이 있어 기준경비율 신고대상자이어서 세금을 추가로 납부해야 하는 경우, 1세대1주택 비과세인 줄 알고 집을 팔았는데 시골에 그동안 신경쓰지 않았던 주택이 하나 있거나, 30세가 넘는 아들과 함께 같은 세대를 이루고 있는데 그 아들도 집을 하나 가지고 있어 1세대2주택이 되는 등의 일이 종종 발생한다.

위의 예와 같은 일이 일어나면 항상 따라다니는 것이 세금이다. 즉, 나의 경제활동의 결과로 인하여 세금이 부당한 처분이라고 생각이 들거나 또는 내가 정작 받아야 할 필요한 처분을 받지 못하여 억울하다고 생각되는 경우가 있을 수 있다.

이러한 세금과 관련하여 억울한 일이 발생했을 때 어떻게 해야 할까? 세금 전문가가 아닌 이상 대부분의 일반인은 나에게 처분된 세금이 부당하다고 생각되면 어떻게 세금에서 구제받을 수 있을까? 하고 인터넷 검색을 하기 시작할 것이다.

억울한 세금! 어떤 해결 절차가 있을까?

이러한 세금 분쟁의 해결 절차로 행정부 단계의 분쟁해결 절차에는 사전적 절차(세금고지서가 발송되기 전으로, 보통의 경우 과세예고통지서를 받은 경우가 해당한다)인 과세전적부심사청구와 과세처분(세금고지서를 받은 때)을 한 뒤에 이를 다투는 사후적 심판절차 두 가지로 나눈다.

사후적 심판절차는 여러 가지 방법이 있는데 뒤에서 자세히 설명하겠지만 국세청에 대한 심사청구, 국무총리실 조세심판원에 대한 심판청구, 감사원에 대한 심사청구가 있다.

행정부 단계의 분쟁해결 절차를 통해서도 세금의 구제를 받지 못했다면, 법원 단계의 행정소송을 통해 최종적으로 과세처분을 취소해 달라는 취소소송을 하게 될 것이다.

(1) 행정부 단계에서 분쟁해결

납세자가 부당하다고 생각하는 세금에 대해 행정부 단계에서는 앞에서 말한 바와 같이 세금이 고지되기 전에 할 수 있는 권리구제로 과세전적부심사청구를, 세금이 고지된 후에 할 수 있는 권리구제로 국세청, 감사원에 대한 심사청구와 조세심판원에 대한 심판청구 세 가지가 있다.

1) 세금 고지 전에는 과세전적부심사제도를 이용

과세관청(서)은 세무조사를 실시하고 그 조사결과를 납세자에게 통지하도록 규정하고 있다. 그래서 세무조사가 끝난 후에는 반드시 세무조사결과통지서를 납세자에게 통지하도록 하고 있다. 또한, 업무감사나 과세자료에 의하여 세금을 고지 처분하는 경우(예상고지세액이 1백만 원 이상)에 납세자에게 과세예고통지서를 보내어 과세할 내용을 미리 납세자에게 알려 주도록 하고 있다.

이러한 세무조사결과통지서나 과세예고통지서를 받은 납세자가 그 내용에 대하여 이의가 있을 때에는 과세예고의 적법 여부에 대한 심사를 청구할 수 있는데, 이를 "과세전적부심사청구"라고 한다.

과세전적부심사를 청구하려면 세무조사결과서 또는 과세예고통지서를 받은 날로부터 30일 이내에 통지서를 보낸 해당 세무서장이나 지방국세청장에게 청구서를 제출하여야 한다.

다만, 쟁점사항이 국세청장의 유권해석을 변경하여야 하거나 새로운 세법 해석이 필요한 경우에는 국세청장의 감사지적에 의한 경우 및 청구세액이 10억 원 이상인 경우는 국세청장에게 직접 제출할 수 있다.

그러면 세무서장(또는 지방국세청장, 국세청장)은 이를 심사하여 30일 이내에 국세심사위원회의 심의를 거쳐 결정을 한 후 납세자에게 그 결과를 통지한다.

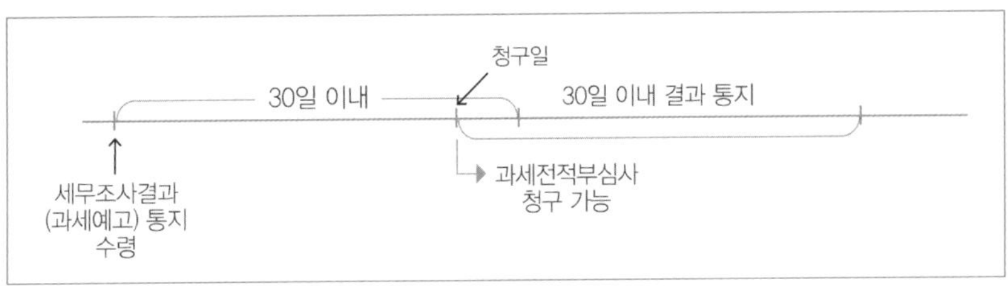

2) 세금 고지 후에는 심사청구, 심판청구를 이용

세금이 고지된 후에는 다음과 같은 권리구제 제도를 이용할 수 있다.

- 세무서 또는 지방국세청장에게 제기하는 이의신청
- 국세청장에게 제기하는 심사청구
- 국무총리실 조세심판원에 제기하는 심판청구
- 감사원에 제기하는 감사원 심사청구

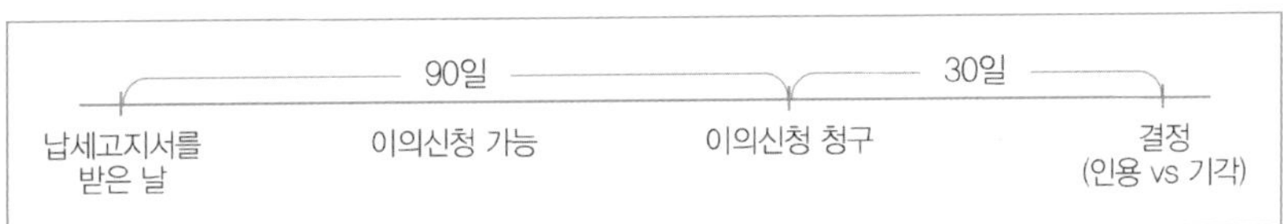

위와 같은 권리구제 절차를 밟고자 하는 경우는 이의신청, 심사청구(국세청, 감사원)나 심판청구 중 하나를 선택하여 불복을 청구할 수 있다. 이러한 절차를 거치고 나서도 납세자의 억울한 세금이 해결되지 않았다면, 법원 단계에서 분쟁을 다투게 되는 것이다. 다만, 이의신청을 한 경우에는 바로 법원 단계로 갈 수 없고, 심사청구 또는 심판청구를 거쳐야 비로소 법원 단계로 갈 수 있다.

이러한 세금 고지 후에는 납세자가 심사청구나 심판청구를 이용하여 조세불복을 하게 되는데, 아무 때에나 조세불복을 할 수 있는 것은 아니다. 납세자는 고지서 등을 받은 날 또는 세금부과 사실을 안 날부터 90일 이내에 관련 서류를 제출해서 심사청구, 심판청구를 하여야 한다. 납세자가 90일이 지나서 억울한 세금이라고 어떻게 해야 하냐고 상담을 하러 오면 가장 안타까운 일이다. 왜냐하면 법에서 정한 이 기간을 지나서 서류를 제출하면 아무리 청구이유가 타당, 즉 누가 봐도 억울한 세금이라 하더라도 납세자 권리구제를 위해 둔 조세불복이라는 형식적 요건을 만족하지 못했기 때문에 "각하"결정을 하므로, 청구기간은 반드시 지켜야 한다. 여기서 각하란, 적법한 청구 또는 소송요건을 갖추지 못한 경우 사건을 심리조차 하지 않고 신청 그 자체를 받아들이지 않는 것을 말한다.

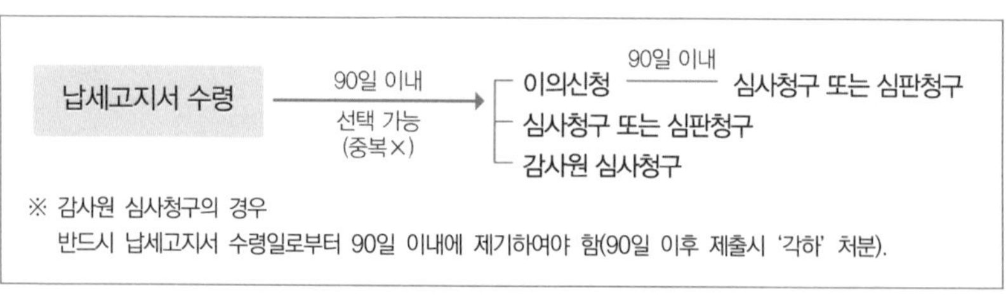

〈참고〉 행정처분 불복에 대한 결정 유형

① 각하결정
- 청구의 요건을 갖추지 못하여 청구 자체를 받아들이지 않는 결정
- 청구기간이 도과한 경우
- 청구가 적법하지 않은 경우
- 행정처분에 해당하지 않은 경우

② 기각결정
청구는 적법하나 불복청구에 이유가 없을 때 기존처분을 그대로 유지하는 결정

③ 인용결정
청구에 이유가 있다고 인정될 때 청구인의 주장을 받아들여 처분을 취소하거나 변경하는 결정

나아가 심판청구를 맡은 조세심판원은 심판대상이 된 처분 이외에는 결정하지 못하고(불고불리), 또 납세의무자에게 불이익이 되는 결정은 하지 못한다(불이익변경금지). 이 두 가지 원칙은 심사청구에도 준용된다고 보아야 할 것이다.

(2) 법원 단계에서 분쟁해결

행정부 단계의 구제절차를 통해 납세자의 억울한 세금이 해결되지 않은 경우, 법원 단계의 행정소송을 통해 분쟁을 해결할 수 있다. 소송에 이르면 행정부, 즉 과세관청(서)은 분쟁의 당사자일 뿐이고 납세의무자와 대립되는 당사자로서 우리 헌법은 사법권을 법원에 주고 있기 때문에, 결국 행정부는 법원의 판결에 따르게 된다.

다만, 억울한 세금에 대한 행정소송은 행정소송법에도 불구하고 국세기본법에 따른 심사청구(국세청, 감사원)나 심판청구와 그에 대한 결정을 거치지 않으면 소송을 제기할 수 없는데, 이를 행정심판전치주의라 한다.

행정소송도 납세의무자가 아무 때나 할 수 있는 것이 아니라, 심사청구 또는 심판청구에 대한 결정통지서를 받은 날로부터 90일 이내에 제기하여야 한다. 다만, 결정기간에 결정의 통지를 받기 전이라도 그 결정기간이 지난 날부터 행정소송을 제기할 수 있으며, 이 기간은 불변기간으로 한다.

억울하다고 판단되는 세금의 행정부 단계에서의 세금고지 전과 후의 권리구제방법과 행정부 단계에서도 분쟁해결이 안된 경우는 법원 단계에서의 권리구제방법을 알아보았는데, 알기 쉽게 그림으로 정리하면 다음과 같다.

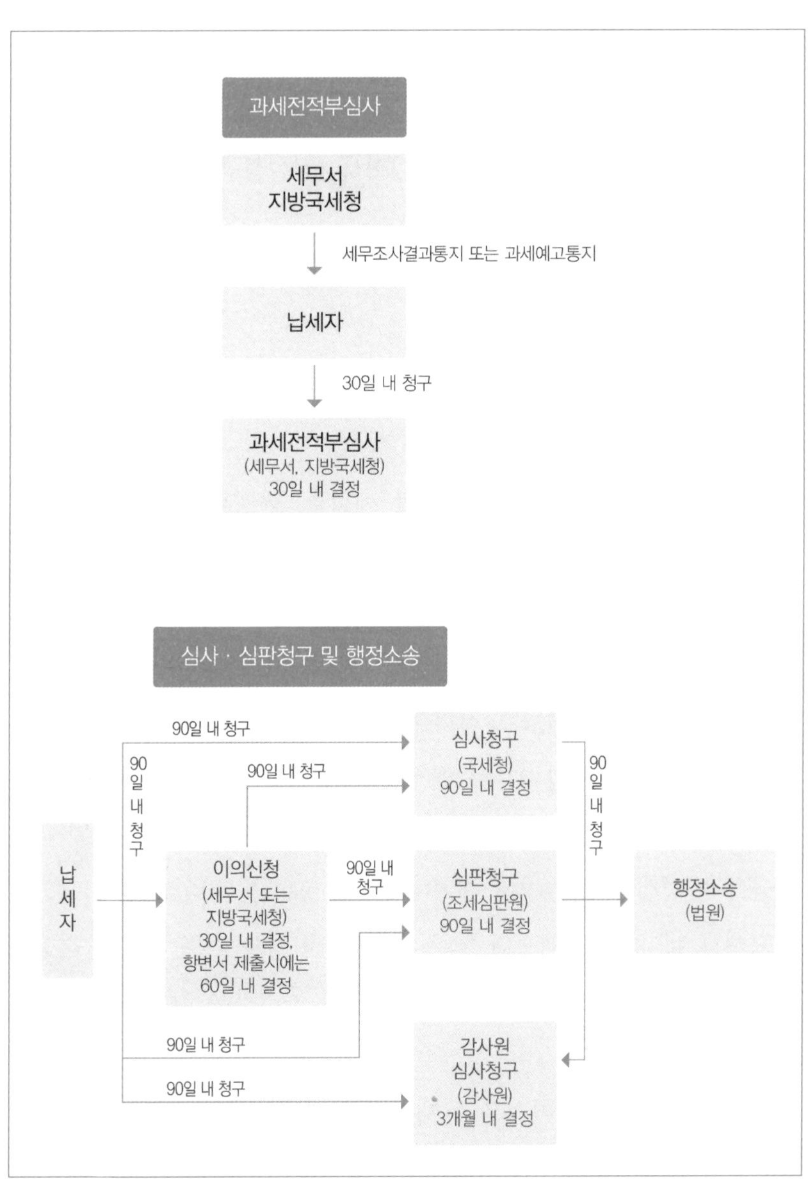

과세전적부심사
세무서
지방국세청
세무조사결과통지 또는 과세예고통지
납세자
30일 내 청구
과세전적부심사
(세무서, 지방국세청)
30일 내 결정
심사 · 심판청구 및 행정소송
90일 내 청구
90일 내 청구
90 일 내 청구
납세자
이의신청
(세무서 또는 지방국세청)
30일 내 결정,
항변서 제출시에는
60일 내 결정
90일 내 청구
심사청구
(국세청)
90일 내 결정
심판청구
(조세심판원)
90일 내 결정
90 일 내 청구
행정소송
(법원)
90일 내 청구
90일 내 청구
감사원
심사청구
(감사원)
3개월 내 결정

9. 세금고지에 대한 불복 외에 세금을 돌려받는 제도(경정청구)

납세자가 과세관서로부터 억울한 세금을 고지받은 경우에는 세금고지 전에는 과세전적부심사청구 제도를 통해, 세금을 고지 받은 후에는 심사청구, 심판청구 및 행정법원에 대한 행정소송을 통한 조세불복절차를 통해 권리구제를 받는다. 즉, 심사나 심판청구는 행정처분에 대한 쟁송절차에 해당한다.

과세관청(서)이 부과처분이 없는 신고납세의 경우는 이러한 조세불복절차가 적용되지 않는다. 그렇다면 세금을 고지받은 경우가 아니라 세금을 법정신고기한 내에 신고(수정신고 포함)를 하였으나 정당하게 신고해서 내야 할 금액보다 많은 세금을 낸 경우, 정당하게 돌려받아야 할(환급받을 금액이라고 함) 금액보다 덜 돌려받은 경우에는 어떻게 될까?

이러한 여러 가지 어려운 문제가 있어 신고납세의 경우도 구제받을 방법으로 경정청구라는 제도가 생겼다.

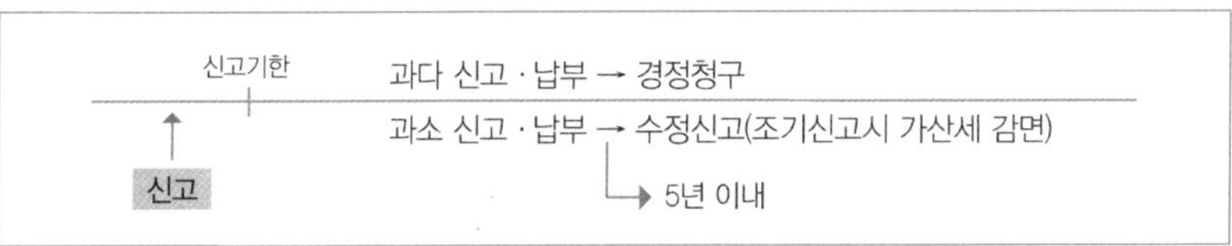

경정청구는 원칙적으로 법정신고기한 경과 후 5년[1] 이내에 관할 세무서장에게 정상적으로 결정 또는 경정하여 줄 것을 청구할 수 있다. 다만. 결정 또는 경정으로 인하여 증가된 과세표준 및 세액에 대하여는 해당, 처분이 있음을 안 날(처분의 통지를 받은 때에는 그 받은 날)부터 90일 이내(법정신고기한이 지난 후 5년 이내에 한함)에 경정을 청구할 수 있다.

다만, 사유 발생이 다음과 같다면 그 사유[2]가 발생한 것을 안 날부터 3개월 이내에 경정청구를 하여야 한다.

위와 같이 경정청구를 하고자 하는 자는 경정청구기한 내에 경정청구서를 제출하면 되고, 경정청구를 받은 세무서장은 청구를 받은 날부터 2개월 이내에 처리결과를 통지해 준다. 즉, 세무서장이 납세자가 청구한 내용에 대하여 2개월 이내에 결정이나 경정을 하고 그 내용을 또는 결정이나 경정을 하지 않는 이유를 청구한 사람에게 통지하여야 한다.

---

1 2015년 1월 1일 이후 결정 또는 경정을 청구하는 분부터 5년이 적용되나, 2015년 1월 1일 전에 종전 규정(3년)에 따른 청구기한이 경과한 분에 대해서는 종전 규정이 적용된다.

2 ① 최초의 신고 결정 또는 경정에서 과세표준 및 세액의 계산근거가 된 거래 또는 행위 등이 그에 대한 소송에 대한 판결에 의하여 다른 것으로 확정된 때
② 소득 그 밖의 과세물건의 귀속을 제3자에게로 변경시키는 결정이나 경정이 있은 때
③ 조세조약 규정에 의한 상호합의가 최초의 신고 결정이나 경정의 내용과 다르게 이루어진 때

경정청구를 받은 세무서장이 납세자에게 세액을 내주지 않거나 또는 2개월이 지나도 아무런 말이 없다면, 이는 경정청구에 대한 거부처분(별도의 행정처분)으로 보아 국세기본법상 불복의 대상이 된다.

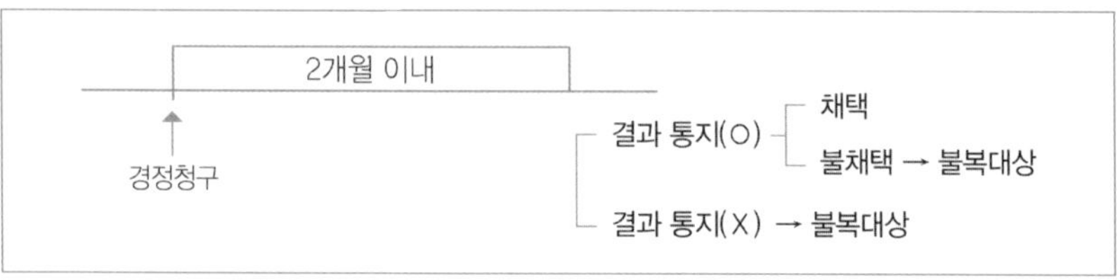

그래서 납세자는 경정청구가 거부처분된 경우는 앞에서 언급한 납세자의 권리구제절차인 국세청이나 감사원에 대한 심사청구, 조세심판원에 대한 심판청구를 할 수 있는 것이다.

10. 세금신고를 잘못하여 세금을 덜 낸 경우는 수정신고를!

(1) 수정신고

세법에서 정하고 있는 신고기한, 즉 법정신고기한 안에 과세표준신고서를 제출하였지만 정당하게 신고하여야 할 금액에 미달하게 신고하였거나 정당하게 신고하여야 할 결손금액 또는 환급세액을 초과하여 신고한 경우, 세무서에서 이러한 미달 신고나 과대 환급을 받았다는 사실을 알고 결정 또는 경정하기 전까지는 납세자 스스로가 수정신고를 할 수 있다.

그래서 수정신고제도는 납세자에게 스스로 자기의 신고내용을 바로 잡을 수 있는 기회를 주는 제도로, 가산세 부담이나 조세범 처벌 등의 불이익을 줄이는 효과가 있다.

법정신고기한 경과 후 2년 이내에 수정신고를 하면 과소신고가산세, 초과환급신고가산세, 영세율과소신고가산세를 다음과 같이 감면받을 수 있다. 다만, 세무서에서 경정이 있을 것을 미리 알고 수정신고를 제출하는 경우는 감면받을 수 없다.

수정신고	감면율
법정신고기한 경과 후 1개월 이내 수정신고하는 경우	90%
법정신고기한 경과 후 1개월 초과 3개월 이내 수정신고하는 경우	75%
법정신고기한 경과 후 3개월 초과 6개월 이내 수정신고하는 경우	50%
법정신고기한 경과 후 6개월 초과 1년 이내 수정신고하는 경우	30%
법정신고기한 경과 후 1년 초과 2년 이내 수정신고하는 경우	10%

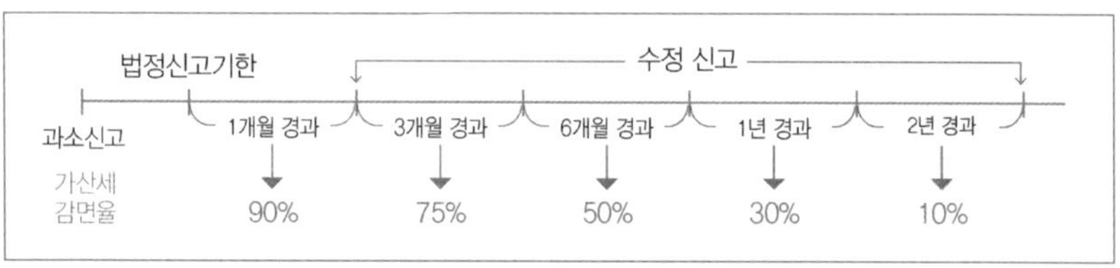

(2) 기한 후 신고

국세기본법은 법정신고기한 내에 신고서를 제출하지 못한 납세자를 위하여 기한 후 신고라는 제도를 두고 있다. 왜냐하면, 시간이 지나감에 따라 납부불성실가산세가 계속 늘어나기 때문에 납세자에게는 큰 부담이 아닐 수 없다. 그래서 세금의 법정신고기한이 지났어도 신고할 기회를 주는 편이 바람직하여 입법을 하게 되었다.

이러한 기한 후 신고를 하게 되면 수정신고에서 본 바와 같이 무신고가산세의 일부를 감면하는데, 기한 후 신고에 따라 아래와 같이 가산세의 감면과 조세범처벌법에 따른 형도 감면받을 가능성이 있다.

기한 후 신고	감면율
법정신고기한 경과 후 1개월 이내 기한 후 신고하는 경우	50%
법정신고기한 경과 후 1개월 초과 3개월 이내 기한 후 신고하는 경우	30%
법정신고기한 경과 후 3개월 초과 6개월 이내 기한 후 신고하는 경우	20%

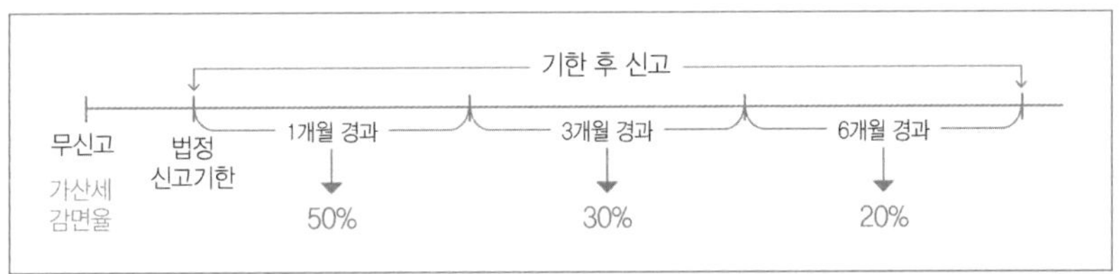

그러나 기한 후 신고에는 신고만으로 세액을 확정하는 효력이 없고, 이 신고를 받아서 행정청이 세액을 결정해야 효력이 있다. 따라서, 납세자가 기한 후 신고를 통해서 자진납부한 금액 외에 별도로 고지할 세액이 없다는 신고 시인 결정의 통지도 행정처분에 해당한다.

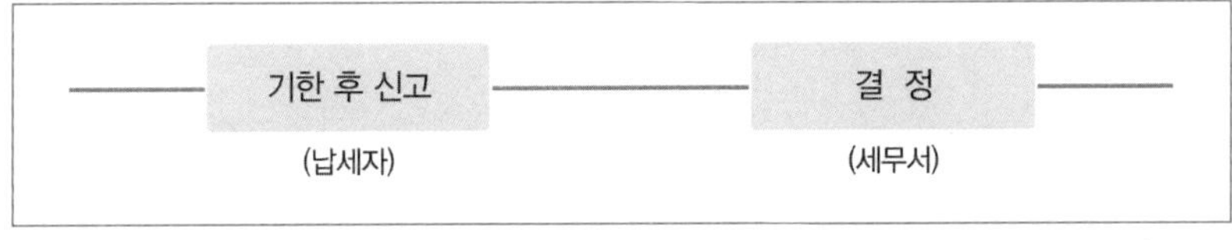

네트워크마케팅 사업자를 위한 세금이야기

제3장 소득세 편

1. 소득세의 정의
2. 우리나라 소득세제의 도입과 역사
3. 우리나라 소득세의 특징
4. 소득세의 과세 방법
5. 종합소득세의 계산구조
6. 과세기간과 납세지
7. 사업소득 계산구조
8. 종합소득세 신고 방법
9. 장부기장을 통한 종합소득세 신고
10. 간편장부 작성을 하면 받는 혜택
11. 간편장부에 의한 신고절차
12. 추계과세제도
13. 단순경비율과 기준경비율의 계산 방법
14. 다단계판매원의 case별 소득금액 계산 사례(1)
15. 다단계판매원의 case별 소득금액 계산 사례(2)
16. 다단계판매원 추계과세제도의 세액 비교
17. 장부작성을 하면 인정받는 필요경비
18. 필요경비로 인정받지 못하는 비용(예시)
19. 업무용승용자동차에 대한 비용처리
20. 비용으로 인정받기 위한 정규지출증빙
21. 기장한 경우 증빙서류 보관의무
22. 소득금액에서 차감되는 소득공제대상 항목
23. 종합소득세의 세율과 계산
24. 절세를 위한 세액공제와 세액감면제도 활용
25. 소득세 확정신고와 납부
26. 성실신고확인제도
27. 소득세법상 가산세
28. 소득세 분납제도
29. 부부공동사업자로 공동사업 시 혜택

1. 소득세의 정의

미국이나 영국, 독일 등 선진국이 소득세를 도입하게 된 공통된 이유는, 당시 전쟁비용을 대기 위하여 새로운 세원으로 소득에 세금을 매긴 데에서 비롯된다. 소득세의 태생이 전쟁비용을 대기 위한 것이든 간에 국민들은 "소득이 있는 곳에 세금이 있다"라는 과세원칙에 익숙하다.

여기서 나오는 소득의 개념은 자기가 벌어들인 것만큼이나 재산이 늘어난 만큼을 말하며, 소득세는 자기가 벌어들인 것만큼이나 재산이 늘어난 만큼 세금을 내야 한다는 개념이다. 이렇듯 소득세는 소득이라는 개념을 과세대상으로 한다. 그래서 소득세는 직접세이며, 소득이 많으면 많을수록 높은 세율을 적용하는 누진세율이라는 점에서 소득 격차가 있는 사람들 간의 수직적 공평을 이룬다.

이러한 측면에서 소득세는 부의 재분배를 통한 결과적 평등이라는 공평과 정의(justice)를 실현하는 하나의 수단이다. 반면, 부가가치세는 간접세이기 때문에 소득의 높고 낮음에 관계없이 누구나 같은 세금을 부담하기에 부가가치세를 통해 공평과 정의를 실현한다고 생각하는 사람은 없다.

“소득이란 무엇인가?”라는 질문에 일반적인 대답은 “수익에서 비용을 뺀 것이요.”라고 이야기한다. 즉, 내 수입에서 지출할 것을 쓰고 결국 내 호주머니에 남아있는 돈 정도이다. 좀 더 있어 보이게 말하면, 소득은 순자산증가설에 따라 “소득=소비+순자산증가”가 된다. 소득을 벌어서 쓰고 남은 만큼 부(순자산)가 늘어나기 마련이다. 소득세란 돈을 얼마나 벌었는가, 곧 재산이 얼마나 늘었고 그 사이에 써버린 돈은 얼마나 되는가를 따져 세금을 매기자는 것이다.

좀 더 소득에 대해서 깊숙이 들어가 보면, 소득을 측정한다는 것은 세금과 관련되어 있기에 대단히 중요한 개념이다. 소비는 이미 해버린 과거의 일이기에 언제 소비를 했고 얼마를 소비했는지 측정이 가능하다. 그러면 순자산증가는 어느 시점에 어떻게 측정을 해야 소득을 정확히 측정할 수 있을까? 순자산의 증가 시점을 언제로 볼 것인지에 따라 소득의 귀속시기가 달라져 올해 세금을 낼 수도 있고 내년에 세금을 낼 수도 있다.

부동산을 예로 들면, 올해 6월 중에 1억 원을 주고 산 부동산이 같은 해 12월 말 시가(시세)가 2억 원이라면, 시세차익 1억 원을 올해 소득으로 볼 수 있는지 아니면 내년에 부동산을 처분해 2억 원의 시세차익을 실현했을 때 소득으로 봐야 하는지에 대한 개념이다.

과거 우리나라는 미실현이익에 과세를 하는 토지초과이득세를 만들어 세금을 부과한 적이 있었으나, 결국 헌법재판소에서의 위헌판정으로 토지초과이득세는 영영 세상에서 묻혀 버린 역사를 갖고 있다. 다시 원점으로 돌아가면, 순자산의 증가에 세금을 매긴다면 미실현이익이 아니라 이익이 실현된 시점에 그 실현된 금액을 측정한다고 이해하면 될 것이다.

2. 우리나라 소득세제의 도입과 역사

종합소득세는 개인의 1년간 소득을 과세대상으로 한다. 각 개인의 사정을 고려한 인적공제와 누진세율(6~42%)을 적용하기 때문에 각자의 경제사정에 맞는 세금부담과 소득재분배를 실현하기에 적합한 세금이다.

1968년에 처음으로 도입된 소득세는 1994년 이전까지는 정부가 세금을 부과하여 얼마를 내라는 방식의 정부부과과세제도였다가, 1995년부터 납세자가 스스로 세금을 계산하여 자진신고하는 제도로 바뀌어 지금까지 제도를 이어오고 있다.

1999년 1월에는 회계 및 세무지식이 부족한 영세사업자도 쉽게 장부를 작성할 수 있도록 집에서 쓰는 가계부 양식과 비슷한 간편장부를 작성하여 신고하도록 하였다. 그럼에도 장부를 작성하지 않는 사업자는 2002년에 도입한 기준경비율제도를 통해 주요경비는 정규증빙서류에 의해 인정하고, 나머지 비용은 업종별 기준경비율을 적용해 소득금액을 계산하도록 한다. 그래서 기장신고 제도의 정착을 방해하고 세부담의 불공평을 초래하는 문제점을 해결하도록 힘썼다.

2011년에는 개인사업자의 성실신고를 유도하기 위하여 업종별 수입금액이 일정규모 이상의 개인사업자가 기장 내용의 정확성을 세무사 등에게 확인을 받아 신고하는 성실신고확인제도를 도입하였다.

이외에도 필자가 대학에 다니던 시절, 종합소득세의 최고 세율은 50%였던 것이 부자 감세를 통해 35%까지 내렸다가 지금은 42%로 다시 올랐다.

국세 통계(2018년 세목별 세수)를 보아도, 우리나라 전체 세수 중 소득세가 차지하는 비중이 28.8%로 가장 높다는 것은 소득세가 그만큼 중요한 세금이라 하겠다.

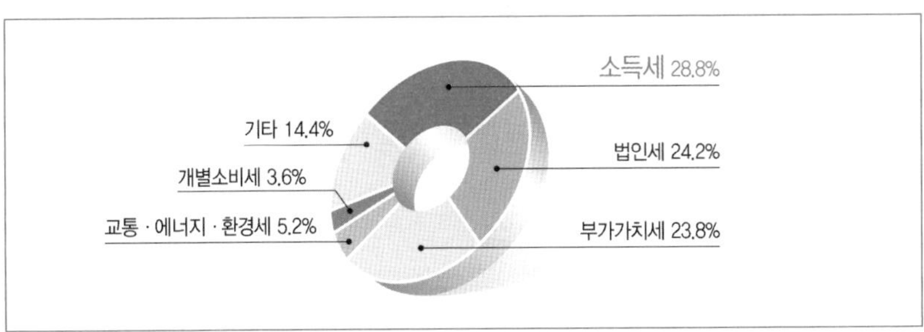

그림 2018년 세목별 세수 현황

3. 우리나라 소득세의 특징

(1) 열거주의 방식

과세소득을 규정하는 방식에는 포괄주의 방식과 열거주의 방식이 있다. 조세포괄주의는 미국이나 일본에서와 같이 세법에 규정되어 있지 않더라도 비슷한 행위에 대해 세금을 부과할 수 있도록 하는 방식이어서, 포괄주의(Negative System)는 제한하거나 금지하는 규정, 사항을 나열하고 나머지는 원칙적으로 자유화하는 체제이다. 즉, 과세대상의 범위가 넓다. 반면 열거주의(Positive System)는 법률에서 과세 대상으로 열거한 소득만을 과세하는 방식으로 독일, 영국, 우리나라가 이 방식을 채택하고 있다.

(2) 종합과세

소득세는 과세방법에 따라 크게 종합소득세제와 분류소득세제로 구분된다. 종합소득세제(Global Income Tax)는 소득의 원천이나 소득의 종류에 관계없이 모든 소득을 종합하여 누진세율에 의하여 과세하고, 분류소득세제(Classified Income Tax)는 소득을 몇 개의 발생원천별로 구분하고 각 소득원천에 따라 단일비례세율 또는 복수비례세율을 적용하여 과세한다. 다음 그림처럼 이자, 배당, 사업 등 소득은 종합과세하고 퇴직소득과 양도소득은 분류과세한다.

그림 소득세 과세 체계

(3) 개인단위 과세방식

소득과 세금은 개인단위로 매기는지 아니면 부부나 가족단위로 매기는지에 따라, 과세단위를 개인단위주의와 소비단위주의(부부단위, 가족단위주의)로 구분한다. 소득세와 같이 누진세율 구조하에서는 과세단위를 어떻게 설정하는가에 따라 세부담 크기에 많은 영향을 준다. 우리나라 소득세법은 원칙적으로 개인을 단위로 하여 소득세를 과세한다. 다만, 가족 구성원 중 2인 이상이 공동사업자에 포함되고 있는 경우 손익분배비율을 허위로 정하는 사유가 있을 때에는 예외적으로 이를 합산(세대단위합산)하여 과세한다.

(4) 신고납부제도

납세의무자가 과세기간의 다음연도 5월 1일부터 5월 31일까지 자기가 내야 할 세금을 스스로(또는 세무대리인 등의 조력을 받음) 계산하여 확정신고를 함으로써 소득세의 납세의무가 확정된다.

(5) 인적공제제도의 채택

인적사정에 따른 담세력을 고려하여 인적공제(기본공제, 추가공제)를 채택·시행하고 있다.

(6) 원천징수제도

국내에서 거주자나 비거주자에게 일정한 이자소득·배당소득·근로소득·사업소득 및 기타소득을 지급하는 자는, 그 거주자나 비거주자에 대한 소득세를 원천징수하여 다음 달 10일까지 정부에 납부해야 한다.

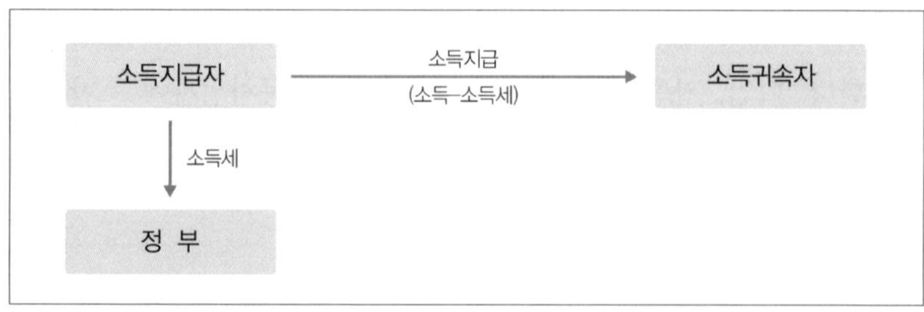

4. 소득세의 과세 방법

(1) 종합(분리)과세와 분류과세

우리나라의 소득세는 개인이 1년 동안(1. 1.~12. 31.을 과세기간으로 함) 얻은 소득에 대하여 세금을 물린다. 현행 소득세법에서는 소득의 성격에 따라 이자소득, 배당소득, 사업소득, 근로소득, 연금소득, 기타소득과 퇴직소득 및 양도소득의 8가지로 구분한다.

소득세의 과세방법은 크게 종합과세와 분류과세 및 분리과세로 나눈다. 종합과세란, 말 그대로 소득을 그 종류에 관계없이 일정한 기간을 단위로 합해서 과세하는 방식을 말한다. 소득세법은 이자소득, 배당소득, 사업소득, 근로소득, 연금소득, 기타소득의 6가지 소득을 하나의 소득으로 묶어서 종합과세한다.

위의 6가지 소득은 종합과세하는 반면, 퇴직소득과 양도소득은 종합소득과 합산하지 않고 별도로 분류하여 과세한다. 이렇게 소득을 종류별로 구분하여 각각 별도로 과세하는 방식을 분류과세라 한다.

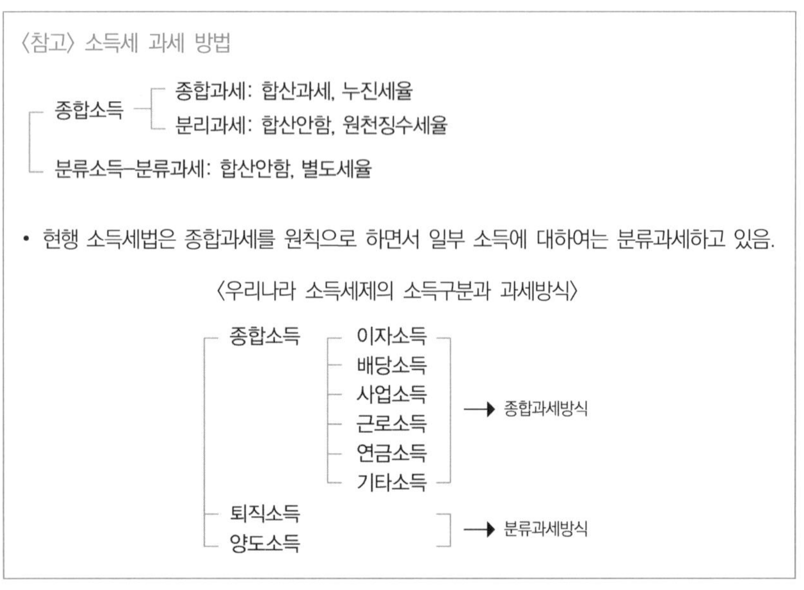

〈참고〉 소득세 과세 방법
종합소득
종합과세: 합산과세, 누진세율
분리과세: 합산안함, 원천징수세율
분류소득–분류과세: 합산안함, 별도세율
• 현행 소득세법은 종합과세를 원칙으로 하면서 일부 소득에 대하여는 분류과세하고 있음.
〈우리나라 소득세제의 소득구분과 과세방식〉
종합소득
이자소득
배당소득
사업소득
근로소득
연금소득
기타소득
종합과세방식
퇴직소득
양도소득
분류과세방식

마지막으로 분리과세라는 것은, 일정한 소득에 대해 기간별로 종합과세하지 않고 소득이 지급될 때 소득세를 원천징수함으로써 과세가 끝나는 방식을 말한다. 소득세법에서는 종합소득 중 일부 이자소득, 배당소득, 근로소득, 연금소득 및 기타소득에 대하여 분리과세를 채택하고 있다.

그 예로 이자소득과 배당소득을 합해서 금융소득이라고 하는데, 금융소득이 1년 동안 2천만 원 이하인 경우에는 소득세를 원천징수함으로써 과세가 끝나는데, 이때 금융소득을 지급하는 자가 세금을 미리 원천징수하여 국가에 세금을 내는 것을 분리과세라고 한다.

(2) 원천징수제도

원천징수대상 소득을 지급하는 자(국가, 법인 및 개인사업자, 비사업자 포함)가 소득을 지급할 때 소득자의 세금을 징수납부하는 제도를 말한다. 여기서 원천징수의무자란 국내에서 거주자나 비거주자, 법인에게 세법에 따른 원천징수대상 소득 또는 수입금액을 지급하는 개인이나 법인을 말한다.

원천징수의무자는 원천징수대상 소득금액 또는 수입금액을 지급하는 때 원천징수한다. 다만, 일정시점까지 소득을 지급하지 아니한 경우 원천징수시기 특례가 적용되어 특례 적용시기에 지급한 것으로 보아 원천징수한다.

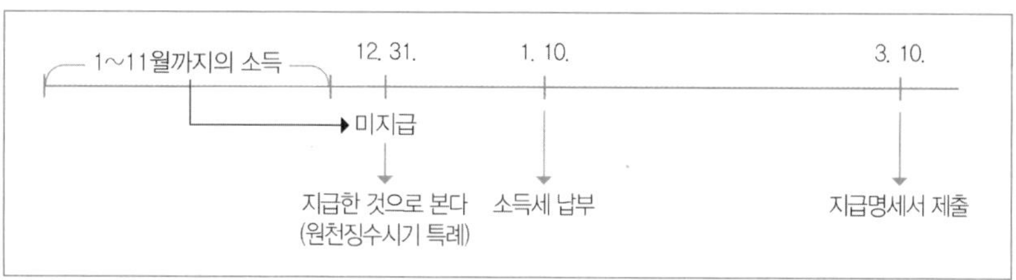

원천징수시기 특례 규정이 적용된 경우, 해당 지급명세서를 소득금액에 대한 과세연도 종료일이 속하는 연도의 다음연도 3월 10일까지 제출해야 한다.

원천징수제도에서 주의할 점은 이자·근로·퇴직·기타소득을 지급하는 자가 사업자등록번호 또는 고유번호가 없는 개인인 경우에도 원천징수의무자에 해당되어, 원천징수한 세금을 신고·납부 및 지급명세서 제출의무가 있다는 것인데, 이를 아는 전문가가 많지 않아 이러한 의무를 놓치는 사례가 종종 발생한다.

원천징수제도는 다단계판매회사와 다단계판매원에게 상당히 밀접한 관계가 있다. 왜냐하면 다단계판매원이 다단계회사에서 받은 후원수당은 사업소득으로, 원천징수대상 소득에 해당하여 원천징수의무자인 다단계판매회사가 후원수당을 지급할 때마다 세금 3.3%(지방소득세 0.3% 포함)를 떼고 나머지 금액을 지급하기 때문이다. 그리고 다단계판매원은 원천징수된 3.3%의 세금은 종합소득세 신고 시 기납부세액으로 계산한다.

여기서 기납부세액이 산출세액보다 많으면 그 차이만큼 환급세액으로 되돌려받고, 산출세액이 많다면 그 차이만큼 추가로 세금을 납부하여야 한다.

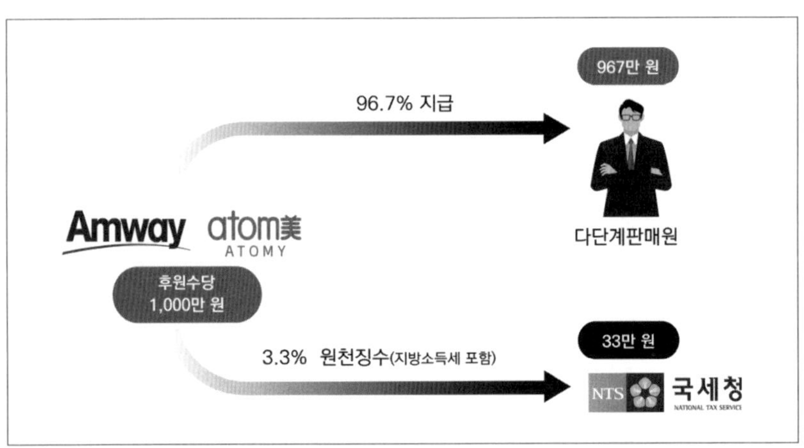

그림 다단계판매원 후원수당(사업소득)의 원천징수

5. 종합소득세의 계산구조

우리나라 소득세법은 크게 종합소득과 양도소득, 퇴직소득을 구분하여 과세방법을 달리하여 과세하고 있다. 앞서 종합소득은 이자소득, 배당소득, 사업소득, 근로소득, 연금소득, 기타소득 6가지를 합한 소득이라고 하였다.

이자소득금액은 해당 과세기간의 총수입금액으로 하며, 배당소득금액도 해당 과세기간의 총수입금액으로 한다. 그리고 사업소득금액은 총수입금액에서 필요경비를 차감한 금액으로 한다. 나머지 근로(또는 연금)소득금액은 총급여액(총연금액)에서 근로소득공제(연금소득공제)를 차감한 금액을 말하며, 마지막으로 기타소득은 총수입금액에서 필요경비를 차감한 금액으로 한다.

이렇게 소득세법은 소득의 종류를 먼저 나눈 후에 소득금액을 각각 조금씩 다른 방법으로 계산한다. 그리고 각각의 소득금액을 합하여 종합소득금액이 되고, 여기서 종합소득공제를 빼면 과세표준이 된다.

우리는 "제2장 조세총괄 편"에서 과세표준을 세법에 따라 세액산출의 기초가 되는 수량이나 가액으로 정의하였다. 즉, 과세표준에 세율을 곱하면 산출세액이 나오는데, 산출세액에는 10%의 지방소득세가 붙는다. 결국 소득세율은 최저 6%에서 최고 42%의 누진세율이지만, 실제로 부담하는 산출세액은 여기에 지방소득세를 포함한 최저 6.6%에서 최고 46.2%가 되는 것이다. 이렇게 소득세율은 누진세율 구조여서 소득이 많으면 많을수록 높은 세율을 적용받게 되고, 이렇게 해서 비록 완전하지는 않지만 부의 재분배 효과를 만들어 낸다.

그래서 원래 납부해야 할 세액은 산출세액이지만, 실제 납부할 소득세액은 산출세액에서 감면세액과 세액공제액을 뺀 금액인 결정세액이다. 물론, 여기에 법에서 정한 의무를 다하지 않아 행정벌 성격의 가산세를 포함하고 소득이 지급된 시점에 원천징수된 세액을 빼면 최종적으로 자진 납부할 세액이 된다.

위와 같이 우리가 내야 할 세금은 연중(1. 1.~12. 31.) 여러 종류의 소득을 모두 합하여 계산하지만, 양도소득이나 퇴직소득은 종합소득과 합산하지 않고 분류하여 계산한다.

<표> 소득종류별 과세방법 및 적용기준

과세방법	소득종류	적용기준
종합과세	이자·배당소득	이자·배당은 금융소득으로 합산소득이 2천만 원을 초과해야 종합과세하며, 2천만 원 이하인 경우는 각각 구분하여 분리과세
	근로·사업소득	무조건 종합과세
	연금소득	• 공적연금소득(무조건 종합과세) • 사적연금소득(1천 2백만 원을 초과해야 종합과세)
	기타소득	기타소득금액(총수입-필요경비)이 3백만 원을 초과해야 종합과세하며, 3백만 원 이하인 경우는 종합·분리과세 중 선택 가능

과세방법	소득종류	적용기준
분류과세	양도소득	양도차익에 대해 종합소득과 합산하지 않고 별도 과세
	퇴직소득	퇴직소득에 대해 종합소득과 합산하지 않고 별도 과세

위의 이자·배당, 근로, 사업, 연금, 기타소득에 대한 종합소득세의 계산구조를 간단히 그림으로 정리하면 아래와 같다.

이자소득	배당소득	사업소득	근로소득	연금소득	기타소득
총수입금액	총수입금액	총수입금액	총급여액	총연금액	총수입금액
-	(+)G-up	(-)필요경비	(-)근로소득공제	(-)연금소득공제	(-)필요경비
이자소득금액	배당소득금액	사업소득금액	근로소득금액	연금소득금액	기타소득금액

	종합소득금액*
(-)	종합소득공제**
	과세표준
(×)	기본세율 (6~42% 누진세율)
	산출세액
(-)	세액감면/공제
	결정세액
(+)	가산세
	총결정세액
(-)	기납부세액
	자진납부세액

* 종합소득금액 = 이자소득금액 + 배당소득금액 + 사업소득금액 + 근로소득금액 + 연금소득금액 + 기타소득금액

** 종합소득공제 = 인적공제(기본공제, 추가공제), 소득세법에 따른 공제, 조세특례제한법에 따른 공제

그림 종합소득세 계산구조

6. 과세기간과 납세지

(1) 과세기간

과세기간이란 세법에 따라 국세의 과세표준 계산에 기초가 되는 기간을 말하며, 개별 세법에 따라 과세기간을 달리 정하고 있다.

소득세의 과세기간은 부가가치세와 달리 사업개시나 폐업에 영향을 받지 않으며, 과세기간을 임의로 설정하는 것도 허용하지 않는다. 이처럼 과세기간을 임의적으로 허용하지 않는 이유는, 다양한 소득을 종합하기 위한 통일된 시간적 기초를 제공하기 위함이다.

구분		과세기간
(1) 원칙		1월 1일~12월 31일
(2) 예외	① 납세자가 사망한 경우	1월 1일~사망한 날
	② 납세자가 해외이주한 경우	1월 1일~출국한 날

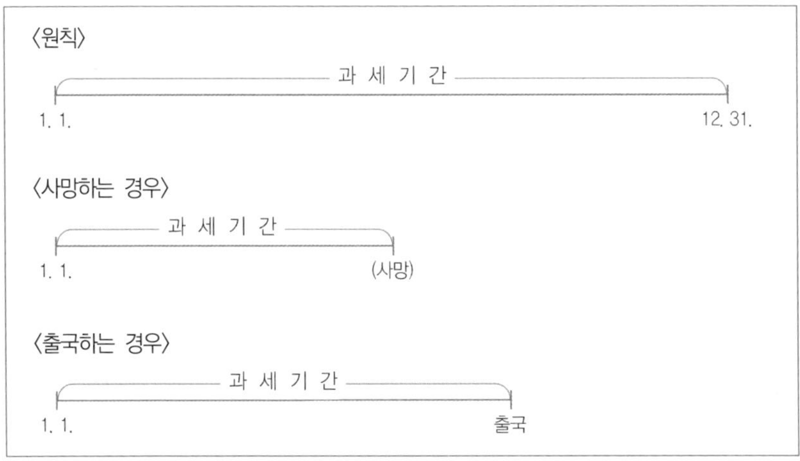

(2) 납세지

납세지란, 납세의무자가 납세의무 및 협력의무를 이행하고 세무서가 세금을 과세할 수 있는 부과권과 세금을 받아낼 수 있는 징수권을 행사하는 기준이 되는 장소이다.

소득세법은 납세지를 주소지로 하며, 주소지가 없는 경우에는 거소지를 소득세의 납세지로 한다.

후원수당이 발생한 다단계판매원은 우리나라에 주소나 거소를 둔 거주자가 대부분이나, 해외후원활동을 허용하는 다단계판매업자의 경우는 다단계판매원이 비거주자일 수도 있다.

거주자 판단기준이 되는 주소와 거소의 개념을 살펴보면, 주소는 국내에서 생계를 같이하는 가족 및 국내에 소재하는 자산의 유무 등 생활관계의 객관적 사실에 따라 판정한다.

거소는 주소지 외의 장소 중 상당기간에 걸쳐 거주하는 장소로서, 주소와 같이 밀접한 일반적 생활관계가 형성되지 아니하는 장소를 뜻한다.

따라서 후원수당이 발생하는 다단계판매원의 소득세 납세지는 다음과 같다.

구분	납세지
거주자	• 주소지. 단, 주소지가 없는 경우: 거소지
비거주자	• 국내사업장의 소재지. 단, 국내사업장이 둘 이상 있는 경우: 주된 국내사업장의 소재지 • 국내사업장이 없는 경우: 국내원천소득이 발생하는 장소

7. 사업소득 계산구조

종합소득금액 중 사업소득의 범위는 영리를 목적으로 자기의 계산과 책임하에 계속적·반복적으로 이루어지는 다음과 같은 일정한 사업에서 발생하는 소득을 말한다. 다음과 같은 일정한 사업소득의 범위를 열거해 보면 아래 표와 같다. 사업소득의 범위를 열거한 이유는 우리나라 소득세법은 법에서 정한, 즉 열거한 소득에 대해서만 과세하고 열거하지 않은 소득에 대해서는 과세하지 않기 때문이다.

<표> 사업소득의 범위

구분	업종 구분
가	농업, 임업, 어업, 광업, 도매 및 소매업(상품중개업 제외), 부동산매매업, 그 밖의 '나' 및 '다'에 해당하지 않는 사업
나	제조업, 숙박 음식업, 전기·가스·증기·수도사업, 하수·폐기물처리·원료재생 및 환경복원업, 건설업(비거주용 건물 건설업 제외, 주거용 건물 개발 및 공급업 포함), 운수업, 출판·영상, 방송통신 및 정보서비스업, 금융보험업, 상품중개업
다	부동산임대업, 부동산 관련 서비스업, 임대업(부동산임대업 제외), 전문·과학 기술서비스업·사업시설관리·사업지원 서비스업, 교육서비스업, 보건 및 사회복지사업, 예술·스포츠 여가 관련 서비스업, 협회 및 단체, 수리 및 기타 개인서비스업, 가구 내 고용활동

위에서 열거한 업종에서 발생한 소득은 사업소득 범위에 해당하고, 여기에서 생긴 총수입금액에서 필요경비를 빼서 사업소득금액을 계산한다. 즉, 사업소득금액은 당해연도의 총수입금액에서 이에 대응하는 필요경비를 차감하여 계산한다. 여기서 필요경비란 사업을 위해 쓰여지는 통상적인 비용으로서, 장부를 기반으로 계산한 실제 들어간 경비를 뜻한다.

이와 같은 사업소득금액 계산은 손익계산서상 당기순이익을 바탕으로 세무조정을 통해 아래 그림과 같이 계산하게 된다.

그림 사업소득금액 계산

다단계판매원의 사업소득을 계산해 보면, 다단계판매원이 상품을 판매하여 얻는 소득, 다시 말하면 매출액에서 매출원가를 차감한 다단계판매원의 소매이익[1]과 다단계판매원의 본인 그룹에서 발생한 후

1 과거에는 다단계판매원이 소매이익을 얻을 목적이었다면, 지금은 신규회원을 모집하고, 신규·기존회원이 다단계판매회사의 제품으로 바꿔쓰도록 하는 노력의 대가로 받는 후원수당을 얻을 목적으로 사업을 하므로 소매이익은 거의 없다.

원수당 중 본인이 제공한 용역의 대가로 받는 후원수당에서 필요경비를 차감하면 된다.

이렇듯 다단계판매원의 소매이익이나 후원수당이 사업소득에 해당하므로, 장부를 기반으로 계산하면 다단계판매회사에서 받는 총수입금액에서 필요경비를 차감하면 다단계판매원의 사업소득금액이 된다.

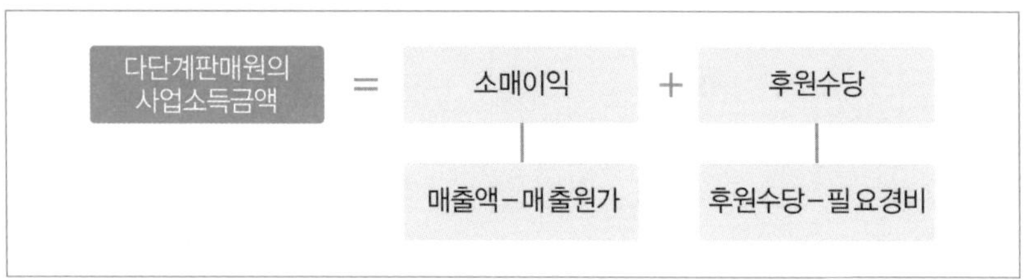

8. 종합소득세 신고 방법

종합소득금액을 계산하는 방법을 언급하기 전에, 종합소득세의 결정방식은 신고납부제도를 원칙으로 한다. 신고납부제도는 납세자 스스로 과세표준과 세액을 계상하여 신고함으로써 납세의무가 확정되는 방식으로, 납세자의 성실한 기장을 전제로 한다. 만약, 종합소득세를 무신고하거나 불성실하게 신고한다면 관할 세무서에서 세액을 다시 결정하게 된다.

〈표〉 신고납부제도와 정부부과과세제도

구분		신고납부제도	정부부과결정제도
의의		납세자가 과세표준과 세액을 확정	과세관서가 과세표준과 세액을 확정
조세 채권 확정	주체	납세의무자	정부(관할 세무서)
	시기	신고 시	조사 결정 시
	절차	신고 및 세금납부	조사선정 및 세금고지

결국 종합소득세는 사업자인 본인이 직접 계산한 소득금액으로 세액을 계산하여 세무서에 신고·납부하게 되는데, 총수입금액에서 필요경비를 뺀 소득금액은 장부와 추계의 방법으로 계산한다.

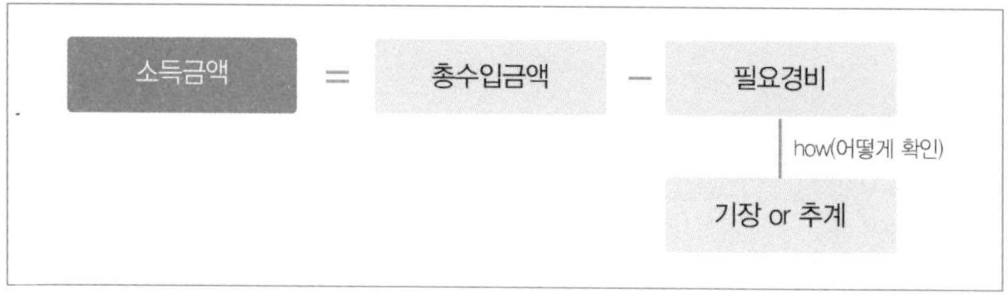

(1) 장부에 의한 소득금액 계산

소득금액 계산은, 사업자가 기장한 장부에 의하여 계산하는 방법을 원칙으로 한다. 기장이란 세금계산서, 신용카드매출전표, 현금영수증 등 증빙서류를 근거로 하여 거래내용을 하나하나 장부에 기록하는 것을 말한다. 기장을 하게 되면, 총수입금액에서 수입금액을 얻기 위하여 쓴 비용을 공제하여 소득금액을 계산한다.

사업자의 기장의무는 신고납세제도 시행 후 복식부기를 원칙으로 하였으나, 복식부기 기장이 어려운 연간 수입금액이 일정규모 미만인 사업자가 간편장부를 작성하면 기장을 한 것으로 본다. 단, 전문직 사업자[1]는 수입금액에 관계없이 복식부기 의무가 부여되며, 전문직

---

1 부가가치세 간이과세 배제대상 사업서비스를 영위하는 자로 변호사, 변리사, 법무사, 회계사, 세무사 등과 의료·보건용역을 제공하는 병원, 의원, 치과의원, 한의사, 수의사, 약사

사업자를 제외한 기장의무를 판단하는 수입금액(직전연도) 기준은 아래와 같다.

<표> 기장의무 판단 수입금액(직전연도) 기준

업종별	기장 신고자	
	복식부기 의무자	간편장부 대상자
[가] 농업·임업 및 어업, 광업, 도매 및 소매업, 부동산 매매업 등	3억 원 이상자	3억 원 미만자
[나] 제조업, 음식, 숙박업, 건설업, 운수업, 금융 및 보험업 등	1억 5천만 원 이상자	1억 5천만 원 미만자
[다] 부동산임대업, 전문·과학 기술서비스업, 교육서비스업, 보건업 등	7천 5백만 원 이상자	7천 5백만 원 미만자

(2) 추계에 의한 소득금액 계산

소득금액은 총수입금액에서 필요경비를 차감하여 계산하는데, 필요경비는 장부에 의해 확인된 금액을 공제하는 것을 원칙으로 한다. 그러나 장부가 없는 경우에는 필요경비를 계산할 수 없기 때문에 정부에서 정한 방법으로 소득금액을 계산한다.

또한, 관할 세무서장은 소득세 과세표준과 세액을 계산할 때 필요한 장부나 증빙이 없거나 중요한 부분이 허위인 경우나 기장내용의 허위가 명백한 경우 등의 사유로 장부나 보관된 증빙서류로 소득금액을 계산할 수 없는 때에는 단순경비율이나 기준경비율에 의한 추계 방법으로 소득금액을 계산한다.

9. 장부기장을 통한 종합소득세 신고

기장이란 세금계산서, 신용카드매출전표, 현금영수증 등 증빙서류를 근거로 하여 거래내용을 하나하나 장부에 기록하는 것이라고 하였는데, 사업자들은 "기장을 하면 소득세를 줄일 수 있나요?" 하는 질문을 많이들 한다. "오히려 기장을 하게 되면 세무대리인에게 기장료를 내야 해서 더 손해가 아닌가요?" 하는 오해를 가진 사업자도 상당하다.

기장을 하는 방법은 복식부기와 간편장부가 있는데 복식부기나 간편장부 모두 세무대리인들이 전문적으로 하지만, 간편장부는 세무대리인뿐만 아니라 소규모 사업자도 직접 작성할 수 있다. 다만, 사업자가 직접 간편장부를 작성하면 고민해야 할 부분도 많아서 세무대리인에게 맡길지 아니면 사업자 스스로 할지 판단하면 될 것이다.

기장	
	복식부기: 거래현황을 차변과 대변으로 나누어 기록
	간편장부: 거래건별로 단순하게 기록

(1) 복식부기

복식부기란 장부에 거래에 대해 기록을 하는 형태로, 기업 자산과 자본의 증감과 손익변동에 대한 내용을 '계정과목'이라는 형태로 거래가 발생할 때마다 차변과 대변을 나누어 기록한다. 이렇게 차변과 대변을 나누어 기록하기 때문에 '복식부기'라고 한다.

모든 법인사업자와 변호사, 회계사와 같은 전문직 사업자, 의사 및 치과의사 등의 전문의료보건용역 사업자는 직전연도 총수입금액과 관계없이 신규 사업을 할 때부터 모두 복식부기로 장부를 하여야 한다.

다단계판매원이 후원수당을 받는 서비스업의 경우 직전 사업연도 총 수입금액 75백만 원 이상인 경우 복식부기로 장부를 하여야 한다.

복식부기의무자가 종합소득세 신고 시에 소득세법 제160조 등의 규정에 따라 비치·기록된 장부와 증빙서류에 의하여 사업소득을 계산한 경우 기업회계기준을 준용하여 작성한 재무상태표, 손익계산서와 그 부속서류, 합계잔액시산표와 조정계산서를 제출하여야 한다.

간편장부 대상자	복식부기의무자
복식부기 기장(○) → 세액공제	복식부기 기장(×) → 가산세

복식부기의무자임에도 관련 서류를 제출하지 않거나 간편장부나 추계신고 방식으로 종합소득세를 신고할 시에는 종합소득세 신고를 하지 않은 것으로 간주하여 무신고 가산세(산출세액의 20%)와 총수입금액의 7/10,000 중 더 큰 금액을 가산세로 부담하여야 하는 세무상 불이익을 받는다.

〈복식부기의무자의 무신고 가산세〉

Max[①, ②]

① 무신고납부세액×20% (부정행위 40%)

② 수입금액*×7/10,000 (부정행위 14/10,000)

* 사업소득에 대한 해당 개인의 총수입금액

반면, 간편장부대상자가 종합소득 신고를 할 때 복식부기에 따라 기장하여 소득금액을 계산하고 재무상태표 등을 제출하는 경우에는 종합소득 산출세액의 20%(100만 원 한도)를 세액공제 받을 수 있다.

기장세액공제 = Min[①, ②]

① 종합소득 산출세액 × $\dfrac{\text{장부에 의하여 계산된 소득금액}}{\text{종합소득금액}}$ × 20%

② 한도액: 100만 원

(2) 간편장부

간편장부란 차변과 대변을 구분하는 복식부기와는 달리, 소규모 사업자나 영세사업자를 위해 국세청에서 만든 간략한 형식의 장부를 말한다. 복식부기 장부에 비해 형식이 단순하여 마치 가계부 적듯이 거래건별로 지출내역과 고정자산 등을 간단하게 적게 되어 있다. 물론 간편장부를 작성한다 해도 해당 거래에 대한 세금계산서, 신용카드매출전표 등 적격증빙은 받아 두어 보관하여야 한다.

간편장부 대상자는 당해연도에 새로이 사업을 시작하였거나 직전 사업연도 수입금액이 아래에 해당하는 사업자만이 사용할 수 있다.

<표> 직전 사업연도 수입금액 기준 간편장부 대상자

업종구분	수입금액 기준
[가] 농업, 임업, 어업, 광업, 도매 및 소매업(상품중개업 제외), 부동산매매업, 그 밖의 '나' 및 '다'에 해당하지 않은 사업	3억 원 미만
[나] 제조업, 숙박 음식업, 전기·가스·증기·수도사업, 하수·폐기물처리·원료재생 및 환경복원업, 건설업(비주거용 건물 건설업 제외, 주거용 건물 개발 및 공급업 포함), 운수업, 출판·영상, 방송통신 및 정보서비스업, 금융 보험업, 상품중개업	1억 5천만 원 미만
[다] 부동산임대업, 부동산 관련 서비스업, 임대업(부동산임대업 제외), 전문·과학 기술서비스업, 사업시설관리·사업지원 서비스업, 교육서비스업, 보건 및 사회복지사업, 예술·스포츠 여가관련 서비스업, 협회 및 단체, 수리 및 기타 개인서비스업, 가구 내 고용활동	7천 5백만 원 미만

간편장부의무자가 종합소득세 신고 시에 소득세법 제160조 등의 규정에 따라 비치·기록된 장부와 증빙서류에 의하여 사업소득을 계산한 경우 간편장부소득금액계산서를 제출하여야 한다.

■ 소득세법 시행규칙[별지 제82호 서식] 〈개정 2018. 3. 21.〉

(앞 쪽)

간편장부소득금액계산서(　　　귀속)

①주소지			②전화번호	
③성　명			④생년월일	

사업장	⑤ 소　재　지				
	⑥ 업　　종				
	⑦ 주 업 종 코 드				
	⑧ 사업자등록번호				
	⑨ 과 세 기 간	.　.　.부터 .　.　.까지	.　.　.부터 .　.　.까지	.　.　.부터 .　.　.까지	.　.　.부터 .　.　.까지
	⑩ 소 득 종 류	(30, 40)	(30, 40)	(30, 40)	(30, 40)
총수입금액	⑪장부상 수입금액				
	⑫수입금액에서 제외할 금액				
	⑬수입금액에 가산할 금액				
	⑭세무조정 후 수입금액 (⑪-⑫+⑬)				
필요경비	⑮장부상 필요경비 (부표 ㊶의 금액)				
	⑯필요경비에서 제외할 금액				
	⑰필요경비에 가산할 금액				
	⑱세무조정 후 필요경비 (⑮-⑯+⑰)				
⑲차가감 소득금액(⑭-⑱)					
⑳기부금 한도초과액					
㉑기부금이월액 중 필요경비 산입액					
㉒해당 연도 소득금액(⑲+⑳-㉑)					

「소득세법」 제70조 제4항 제3호 단서 및 같은 법 시행령 제132조에 따라 간편장부소득금액계산서를 제출합니다.

년　　월　　일

제 출 인　　　　(서명 또는 인)

세무대리인　　　　(서명 또는 인)

세 무 서 장 귀하

첨부서류	총수입금액 및 필요경비명세서(별지 제82호 서식 부표) 1부	수수료 없 음

210mm×297mm[백상지 80g/㎡(재활용품)]

(뒤 쪽)

작성방법

1. 이 서식은 여러 개의 사업장을 가진 사업자가 법 제160조 제5항에 따라 사업장별로 구분하여 작성하는 경우에는 사업장별로 구분하여 작성하고, 한 사업장 내 사업소득과 부동산임대소득이 같이 있는 경우에는 소득별로 구분하여 작성하며, 부동산임대소득 또는 사업소득이 사업장별로 2 이상인 경우에는 부동산임대소득과 그 합계를 먼저 기재하고 그 다음 칸부터 사업소득과 그 합계를 기재하여야 합니다. 공동사업의 경우에는 공동사업자별 분배명세서(별지 제41호 서식)를 첨부합니다.

2. ⑦주업종코드란: 한 사업장에 해당되는 업종코드가 2 이상인 경우에는 주된 업종코드를 기재합니다.

3. ⑩소득종류란: 해당되는 소득의 코드에 "○" 표시를 합니다.
   가. 부동산임대소득: 30
   나. 사업소득: 40

4. ⑪장부상 수입금액란: 총수입금액 및 필요경비명세서(별지 제82호 서식 부표)의 ⑬수입금액 합계와 같습니다.

5. ⑬수입금액에 가산할 금액란: 부동산임대보증금에 대한 간주임대료, 판매장려금, 국고보조금, 보험차익, 준비금 및 충당금의 환입액 등을 기재합니다. 간주임대료의 경우에는 임대보증금등의 총수입금액조정명세서(1)·(2)(별지 제53호 서식)를 첨부하여야 합니다.

6. ⑭세무조정 후 수입금액란: [7]부동산임대소득·사업소득명세서[별지 제40호 서식(1)] ⑧총수입금액 또는 별지 제40호의3 서식의 ㉑총수입금액과 같습니다.

7. ⑮장부상 필요경비란: 총수입금액 및 필요경비명세서(별지 제82호 서식 부표)상의 ㉝필요경비 합계와 같습니다.

8. ⑫·⑬·⑯·⑰란: 과목별 소득금액 조정명세서(별지 제48호 서식)상의 조정금액을 해당 사유별로 합계하여 각 란에 기재합니다.

9. ⑳기부금 한도초과액란: 해당 연도의 기부금(지정기부금 및 「조세특례제한법」 제73조에 따른 기부금을 말합니다) 한도초과액이 있는 경우 그 한도초과금액을 기재합니다.

10. ㉑기부금이월액 중 필요경비 산입액란: 해당 연도의 기부금(지정기부금 및 「조세특례제한법」 제73조에 따른 기부금을 말합니다)이 한도에 미달하고 전년도에 이월된 기부금이 있는 경우 기부금이월액 중 필요경비산입액을 기재합니다.

210mm×297mm[백상지 60g/㎡(재활용품)]

■ 소득세법 시행규칙 [별지 제82호 서식 부표] 〈개정 2018. 3. 21.〉

(앞 쪽)

총수입금액 및 필요경비명세서(　　귀속)

①주소지						②전화번호
③성 명						④생년월일
사업장		⑤ 소 재 지				
		⑥ 업 종				
		⑦ 주 업 종 코 드				
		⑧ 사업자등록번호				
		⑨ 과 세 기 간	. . .부터 . . .까지	. . .부터 . . .까지	. . .부터 . . .까지	
		⑩ 소 득 종 류	(30, 40)	(30, 40)	(30, 40)	(30, 40)
장부상 수입금액		⑪ 매 출 액				
		⑫ 기 타				
		⑬ 수입금액 합계(⑪+⑫)				
필요경비	매출원가	⑭ 기초재고액				
		⑮ 당기 상품매입액 또는 제조비용(㉔)				
		⑯ 기말재고액				
		⑰ 매출원가(⑭+⑮-⑯)				
	제조비용	재료비 ⑱ 기초 재고액				
		재료비 ⑲ 당기 매입액				
		재료비 ⑳ 기말 재고액				
		재료비 ㉑ 당기 재료비 (⑱+⑲-⑳)				
		㉒ 노 무 비				
		㉓ 경 비				
		㉔ 당 기 제 조 비 용 (㉑+㉒+㉓)				
	일반관리비등	㉕ 급 료				
		㉖ 제 세 공 과 금				
		㉗ 임 차 료				
		㉘ 지 급 이 자				
		㉙ 접 대 비				
		㉚ 기 부 금				
		㉛ 감 가 상 각 비				
		㉜ 차 량 유 지 비				
		㉝ 지 급 수 수 료				
		㉞ 소 모 품 비				
		㉟ 복 리 후 생 비				
		㊱ 운 반 비				
		㊲ 광 고 선 전 비				
		㊳ 여 비 교 통 비				
		㊴ 기 타				
		㊵ 일반관리비등계 (㉕~㊴의 합계)				
	㊶ 필요경비 합계(⑰+㊵)					

210mm×297mm[백상지 60g/㎡(재활용품)

(뒤 쪽)

작성방법

1. 이 서식은 여러 개의 사업장을 가진 사업자가 법 제160조 제5항에 따라 사업장별로 구분하여 작성하는 경우에는 사업장별로 구분하여 작성하고, 한 사업장 내 사업소득과 부동산임대소득이 같이 있는 경우에는 소득별로 구분하여 작성하며, 부동산임대소득 또는 사업소득이 사업장별로 2 이상인 경우에는 부동산임대소득과 그 합계를 먼저 기재하고 그 다음 칸부터 사업소득과 그 합계를 기재하여야 합니다.

2. ⑦주업종코드란: 한 사업장에 해당되는 업종코드가 2 이상인 경우에는 주된 업종코드를 기재합니다.

3. ⑩소득종류란: 아래의 해당되는 소득의 코드에 "○" 표시를 합니다.
   가. 부동산임대소득: 30
   나. 사업소득: 40

4. ⑭·⑱기초재고액란은 직전 과세기간 명세서상의 기말재고액과 같아야 하며, ⑯·⑳기말재고액란은 다음 과세기간 명세서상의 기초재고액이 됩니다. 기초재고와 기말재고를 구분하기 어려운 경우에는 당기 매입액만 기재합니다.

5. 제조비용란(⑱~㉔): 제조원가명세서를 작성하는 제조업 등의 경우에만 기재합니다.

6. ㉖제세공과금란: 사업장에서 부담한 재산세, 상공회의소비, 협회비 등을 기재합니다.

7. ㉙접대비란의 해당 과세기간 접대비 지출금액이 [1,200만 원(「조세특례제한법 시행령」 제2조에 따른 중소기업의 경우에는 1,800만 원)×과세기간 월수/12]을 초과할 때에는 접대비조정명세서(1)·(2)[별지 제55호 서식]를 첨부하여야 합니다.

8. ㉚기부금란의 기부금(지정기부금 및 「조세특례제한법」 제73조에 따른 기부금을 말합니다) ㉛감가상각비, 대손충당금, 퇴직급여충당금, 특별수선충당금, 국고보조금, 보험차익 및 「조세특례제한법」상의 각종 준비금을 필요경비에 산입한 때에는 해당 계정에 대한 조정명세서를 첨부하여야 합니다.

210mm×297mm[백상지 60g/㎡(재활용품)]

(3) 기장을 하지 않는 경우의 불이익

기장을 하지 않았을 때, 사업자는 사업상 적자가 났어도 결손금을 인정받을 수 없고, 기장의무자가 추계(단순, 기준경비율)로 신고할 경우 가산세를 부과받으며, 기준경비율에 의해 추계 신고할 경우 기타 경비에 대해 기준경비율의 1/2을 적용하여 필요경비를 적게 계산하게 되며, 소득탈루 목적의 무기장자인 경우에는 세무조사 등 세무간섭을 받을 수 있다.

> 기준소득금액 = 수입금액 - [주요경비(㉮ + ㉯) + 기타경비(㉰)]
>
> ㉮ 매입비용(사업용고정자산의 매입비용 제외)과 사업용고정자산에 대한 임차료로서 증빙서류에 의하여 지출하였거나 지출한 금액
> ㉯ 종업원의 급여와 임금 및 퇴직급여로서 증빙서류에 의하여 지급하였거나 지급할 금액
> ㉰ 수입금액에 기준경비율을 곱하여 계산한 금액
> 다만, 복식부기의무자의 경우에는 수입금액에 기준경비율의 2분의 1을 곱하여 계산한 금액(수입금액×기준경비율×1/2)

10. 간편장부 작성을 하면 받는 혜택

간편장부는 소규모 사업자를 위하여 국세청에서 특별히 고안한 장부로, 세무대리인 뿐만 아니라 소규모 사업자도 쉽고 간편하게 작성할 수 있다. 소규모 사업자가 간편장부를 작성하면 어떤 혜택을 받을 수 있을까? 기장을 하지 않는 경우에 받는 세무상 불이익의 반대로 생각하면 정답은 금방 나올 것이다.

간편장부를 작성했을 때 받는 혜택은, 장부에 의해 소득금액을 계산하므로 사업자 자신의 소득수준에 맞는 세금부담을 진다는 것이 가장 큰 혜택이다. 간편장부를 작성하면 받을 수 있는 혜택을 자세히 살펴보면 다음과 같다.

(1) 이월결손금 공제

사업자가 적자가 발생한 경우 결손금을 인정받을 수 있고, 앞으로 10년 내 발생하는 소득에서 공제받을 수 있기 때문에 나중에 소득이 발생한다면 세금을 절세할 수 있는데, 대부분의 소규모 사업자는 당장 쉽게 신고하고 기장수수료를 아끼는 눈앞의 이익을 보려는 바람에 합법적인 절세를 놓치는 것이 아쉽다.

〈결손금과 이월결손금〉

- 결손금 = 필요경비 - 총수입금액 (총수입금액 < 필요경비)
- 이월결손금: 해당연도 종합소득 과세표준 계산시 공제하고 남은 결손금

(2) 결손금 소급공제

결손이 난 사업자가 중소기업을 경영하는 사업자라면, 전년도에 낸 세금을 돌려받을 수도 있는 결손금 소급공제도 가능하다. 예를 들어 중소기업을 경영하는 사업자가 2019년도에 소득이 1억 원 발생하였고, 이에 대한 종합소득세 2천 5백만 원을 냈다고 가정하자. 그런데 이 사업자는 2020년도에 경영악화로 인해 1억 원 이상의 결손이 발생하였다면 2천 5백만 원을 전액 돌려받을 수 있으며, 4천만 원의 결손이 발생하였다면 1억 원에서 4천만 원을 뺀 6천만 원에 대한 소득세를 초과하는 금액을 돌려받을 수 있다.

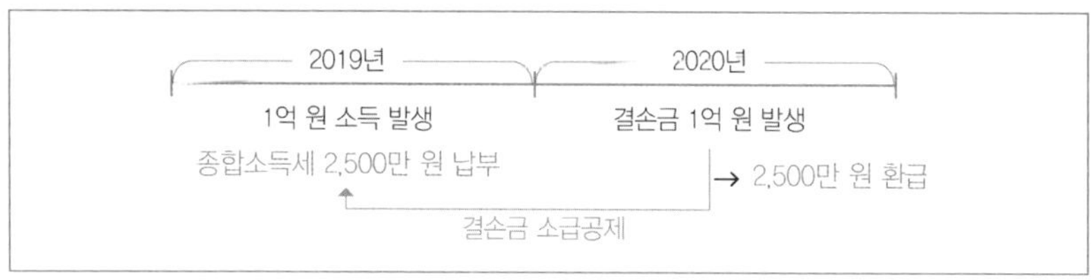

그러나, 중소기업 경영자가 기장을 하지 않았다면 전년도의 세금을 되돌려 받을 수도 없을 뿐만 아니라, 추계로 소득금액을 계산하였다면 2020년도에 소득이 발생한 것으로 보아 세금을 내야 할 것이다.

(3) 기타 필요경비 인정

감가상각비나 준비금 등을 필요경비로 인정받을 수 있고, 접대비를 많이 지출하여도 연간 3천 6백만 원(2019년 귀속분까지는 2천 4백만 원)을 기본 한도로 인정받으므로, 일반적으로 추계로 신고하는 경우보다 세금을 줄일 수 있다.

〈접대비 한도액〉

=[기본금액(1,200만 원, 중소기업 3,600만 원)×해당 과세기간의 월수/12]+[수입금액×적용률]

(4) 무기장가산세 탈출

직전연도 수입금액이 4천 8백만 원 이상의 간편장부대상자가 추계로 신고를 할 때에는 다음의 금액 ①, ② 중 큰 금액을 무기장가산세로 부과한다.

무기장가산세=Max(①, ②)

① 종합소득 산출세액 $\times \dfrac{\text{무기장, 미달 기장 소득금액}}{\text{종합소득금액}} \times 20\%$

② 무신고 납부세액의 20%와 수입금액의 0.07% 중 큰 금액

11. 간편장부에 의한 신고절차

간편장부를 작성하여 종합소득세 신고를 하는 절차와 간편장부기장자가 지켜야 할 의무는 다음과 같다. 다단계판매원의 후원수당에 대한 간편장부 작성 예와 신고서류는 '제4장'을 참고하기 바란다. 아울러, 간편장부를 기장한 후 종합소득세 신고를 위한 「총수입금액 및 필요경비명세서」 및 「간편장부 소득금액계산서」를 작성하는데 어려움이나 의문사항이 있는 경우에는 세무대리인에게 소정의 수수료를 지급하고 작성을 의뢰할 수 있다.

(1) 종합소득세 신고 절차

1) 간편장부 기장

간편장부는 거래가 발생한 날짜 순서대로 매출액 등 수입에 관한 사항, 매입액 등 비용 지출에 관한 사항, 고정자산의 증감에 관한 사항을 기록하면 된다. 이에 대한 간편장부 작성 예는 '제4장'을 참고하기 바란다.

2) 총수입금액 및 필요경비명세서 작성

간편장부상의 수입과 비용을 「총수입금액 및 필요경비명세서」의 "장부상 수입금액"과 "필요경비" 항목에 기재한다.

〈세무조정의 수입금액〉

=장부상 수입금액* - 수입금액에서 제외할 금액+수입금액에 가산할 금액

* 매출액+기타

〈세무조정 후 필요경비〉

=장부상 필요경비* - 필요경비에서 제외할 금액+필요경비에 가산할 금액

* 매출원가+제조비용+일반관리비 등

3) 간편장부 소득금액계산서 작성

「총수입금액 및 필요경비명세서」에 의해 계산된 수입금액과 필요경비를 세무 조정하여 당해연도 소득금액을 계산한다.

4) 종합소득세 신고서 작성

「간편장부 소득금액계산서」에 의한 당해연도 소득금액을 종합소득세 신고서 ⑦ 부동산임대 사업소득과 부동산임대 외의 사업소득명세서의 해당항목에 기재한다. 종합소득세 신고는 신고서와 "총수입금액 및 필요경비명세서"의 서식과 "간편장부 소득금액계산서"의 서식을 제출하는 것이다.

(2) 간편장부기장자가 지켜야 할 의무

장부 및 증빙서류는 소득세 확정신고기한이 지난 날부터 5년간 보관하여야 한다. 다만, 각 과세기간의 개시일 5년 전에 발생한 결손금을 공제받은 경우 해당 결손금이 발생한 과세기간의 증빙서류를 공제받은 과세기간의 다음다음 연도 5월 말일까지 보관하여야 한다.

사업자가 사업과 관련하여 다른 사업자로부터 재화 또는 용역을 공급받고 그 대가를 지출하는 경우, 거래 건당 금액(부가가치세를 포함) 3만 원을 초과하는 경우에는 법정 지출증빙서류를 수취해야 한다. 법정 지출증빙서류라 함은 세금계산서, 계산서, 신용카드매출전표, 현금영수증을 말한다.

국세청고시 제2018-24호 (2018. 7. 31.)

간편장부 고시

「소득세법」 제160조 제2항 및 같은 법 시행령 제208조 제9항의 위임에 따라 간편장부에 관한 사항을 다음과 같이 개정하여 고시합니다.

2018년 7월 31일

국 세 청 장

제1조(목적) 이 고시는 「소득세법」 제160조 제2항 및 같은 법 시행령 제208조 제9항에서 위임한 간편장부에 관한 사항을 정하는 것을 목적으로 한다.

제2조(간편장부) 「소득세법」 제160조 제2항 및 같은 법 시행령 제208조 제9항의 규정에 따른 간편장부는 별표와 같다.

제3조(재검토기한) 「훈령·예규 등의 발령 및 관리에 관한 규정」(대통령훈령 제334호)에 따라 이 고시 발령 후의 법령이나 현실여건의 변화 등을 검토하여 이 고시의 폐지, 개정 등의 조치를 하여야 하는 기한은 2021년 7월 31일까지로 한다.

부 칙(2018. 7. 31. 국세청 고시 제2018-24호)

제1조(시행일) 이 고시는 고시일로부터 시행한다.

제2조(적용례) 이 고시는 시행일이 속하는 과세기간 분부터 적용한다. 다만, 「별표」의 개정규정은 2019년 1월 1일 이후 발생하는 거래분부터 적용한다.

【별 표】

1. 표 지

업종별 일정규모 미만의 개인사업자를 위한

간 편 장 부

2. 간편장부 서식

① 일자	② 계정과목	③ 거래내용	④ 거래처	⑤수입 (매출)		⑥비용 (원가관련 매입포함)		⑦고정자산 증감 (매매)		⑧ 비고
				금액	부가세	금액	부가세	금액	부가세	

※ 간편장부대상자는 위 간편장부의 기재사항을 추가하여 사용하거나 별도의 보조부 또는 복식부기에 의한 장부를 작성할 수 있음.

3. 작성요령

가. 일반적 기재요령

1) 거래일자 순으로 매출(수입) 및 비용 관련 거래내용(외상거래 포함)을 모두 기재함.

2) 매출건수가 1일 평균 50건 이상인 경우에는 1일 동안의 매출금액(또는 수입금액)을 합계하여 기재할 수 있으며, 비용 및 매입거래는 거래 건별로 모두 기재하여야 함.

3) 증빙서류 발행분과 수취분에 대하여는 비고란에 그 종류를 표시하되 약칭으로 기재할 수 있음.

※ 예) 세금계산서는 '세계', 계산서는 '계', 신용카드매출전표 및 현금영수증은 '카드등', 그 밖의 영수증은 '영'으로 각각 표시함.

4) 상품·제품·원재료의 재고액은 과세기간 개시일 및 종료일에 실지 재고량을 기준으로 평가하여 비고란에 기재함.

- 재고액의 기재가 없는 경우에는 과세기간 개시일 및 종료일의 재고액이 동일한 것으로 간주함.

5) 기부금, 감가상각비, 대손충당금, 퇴직급여충당금, 특별수선충당금, 국고보조금, 보험차익 및 「조세특례제한법」상의 각종 준비금을 필요경비에 산입한 때에는 종합소득세신고 시에 해당 계정에 대한 조정명세서를 첨부하여야 함.

나. 각 항목 기재요령

① 일자란: 현금 또는 외상거래에 관계없이 거래가 발생한 일자를 기준으로 수입 및 비용을 모두 기재함.

② 계정과목란: 거래별로 아래 해당하는 계정과목을 기재함.

구 분		계정과목
수입금액		매출액, 기타수입금액
비용	매출원가 및 제조비용	상품매입, 재료비매입, 제조노무비, 제조경비
	일반 관리비 등	급료, 제세공과금, 임차료, 지급이자, 접대비, 기부금, 감가상각비, 차량유지비, 지급수수료, 소모품비, 복리후생비, 운반비, 광고선전비, 여비교통비, 기타비용
고정자산		고정자산 매입, 고정자산 매도

③ 거래내용란: 매출·매입의 품명, 규격, 수량 등을 요약하여 기재(예: ○○판매, ○○구입)하며, 비고란에 대금결제 유형(현금, 외상, 카드)을 기재함.

④ 거래처란: 거래상대방의 상호, 성명 또는 전화번호 등을 기재함.

⑤ 수입(매출)란: 상품·제품 또는 용역의 공급 등에 관련된 사업상의 영업수입(매출) 및 영업외수입을 기재함. 부가가치세 일반과세자는 공급가액과 부가가치세를 구분하여 기재

※ 신용카드 및 현금영수증 매출의 경우 공급가액과 부가가치세가 구분되지 않은 경우에는 매출액을 1.1로 나누어서 금액란과 부가세란에 각각 기재

- 간이과세자는 부가가치세를 포함한 매출액(공급대가)을, 부가가치세 면세사업자는 매출액을 '금액'란에 각각 기재

⑥ 비용란

- 상품·원재료·부재료의 매입금액, 일반관리비·판매비(영업활동비) 등 사업에 관련된 모든 비용을 기재함.
- 일반과세자가 거래상대방인 일반과세자로부터 부가가치세를 별도로 구분할 수 있는 증빙서류(예: 세금계산서, 신용카드매출전표, 현금영수증)를 받은 때에는 부가가치세를 거래금액과 구분하여 기재함.
- 계산서, 영수증 등 부가가치세가 별도로 구분되지 않은 증빙서류를 수취한 매입분은 매입금액을 금액란에 기재함.

⑦ 고정자산 증감(매매)란

- 건물, 기계장치, 컴퓨터 등 고정자산의 매입(설치·제작·건설 등 포함)에 소요된 금액 및 그 부대비용과 자본적 지출액을 기재하고, 고정자산을 매각 또는 폐기하는 경우에는 그 금액을 붉은색으로 기재하거나 금액 앞에 '△' 표시함.
- 고정자산의 매입시는 나. ⑥ 비용란의 기재방법을, 고정자산 매도시는 나. ⑤ 수입(매출)란 기재방법을 각각 준용함.

⑧ 비고란: 거래증빙 유형 및 재고액을 기재함.

다. 기타 작성요령

1) 부동산임대업의 사업소득, 부동산임대업 외의 사업소득 등 2개 이상 소득이 있는 경우에는 간편장부를 각각 작성하여야 함.

2) 사업장이 2개 이상인 경우에는 각 사업장별로 간편장부를 작성하여야 함.

12. 추계과세제도

(1) 도입 배경

모든 사업자는 거래내용을 기장하여 작성한 장부(복식부기 또는 간편장부)와 증빙서류에 근거하여 계산한 소득세를 납세지 관할 세무서장에게 신고하도록 하고 있다. 그러나 기장능력이 없는 소규모 사업자에게 신고편의를 제공하고, 과세관서도 간편하게 과세할 수 있도록 2002년 1월부터 기준경비율 제도를 도입하였다.

장부를 기장하지 않은 사업자는 장부와 증빙서류에 의하여 소득금액을 계상할 수 없기 때문에, 수입금액에서 기준경비율 또는 단순경비율을 곱하여 계산한 금액을 필요경비로 보아 추계소득으로 신고하는 방법이다.

(2) 경비율의 구조 및 판단기준

장부를 기장하지 않는 사업자의 소득금액을 계상하는 경우, 기준(단순)경비율에 의거 계산한 금액을 필요경비로 보아 이를 수입금액에서 빼서 소득금액을 계산한다. 필요경비로 빼는 금액은 주요경비(매입비용, 임차료, 인건비)는 증빙서류에 의하여 인정하고, 기타경비는 국세청장이 업종과 특성에 따라 기업의 평균적인 규모 및 업황을 고려하여 조사한 평균적 경비율에 대해 기준경비율심의회의 심의를 거쳐 결정한 경비율을 적용한다.

기준소득금액 = 수입금액 − [주요경비(㉮ + ㉯) + 기타경비(㉰)]

㉮ 매입비용(사업용고정자산의 매입비용 제외)과 사업용고정자산에 대한 임차료로서 증빙서류에 의하여 지출하였거나 지출한 금액

㉯ 종업원의 급여와 임금 및 퇴직급여로서 증빙서류에 의하여 지급하였거나 지급할 금액

㉰ 수입금액에 기준경비율을 곱하여 계산한 금액
다만, 복식부기의무자의 경우에는 수입금액에 기준경비율의 2분의 1을 곱하여 계산한 금액(수입금액×기준경비율×1/2)

다만, 소규모 사업자의 소득금액을 계산하는 경우에는 수입금액에 단순경비율을 곱한 금액을 필요경비로 보아 수입금액에서 빼서 소득금액을 계산한다.

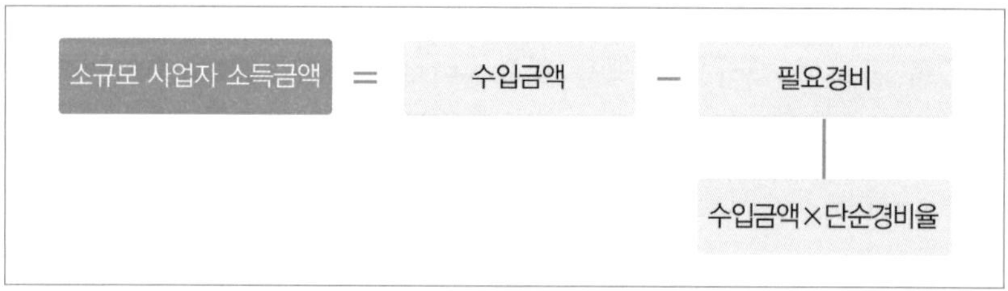

추계로 소득금액을 계산할 때 적용되는 기준경비율 및 단순경비율은 아래 표와 같이 직전연도 사업수입금액을 기준으로 결정한다.

<표> 경비율 판단 사업수입금액(직전연도) 기준

업종별	계속사업자		신규사업자	
	기준경비율	단순경비율	기준경비율	단순경비율
[가] 농업, 임업 및 어업, 광업, 도·소매업 등	6천만 원 이상	6천만 원 미만	3억 원 이상	3억 원 미만
[나] 제조업, 숙박 및 음식점업, 건설, 운수업, 금융보험업 등	3천 6백만 원 이상	3천 6백만 원 미만	1억 5천만 원 이상	1억 5천만 원 미만
[다] 부동산임대, 전문과학·기술 서비스업, 개인서비스업 등	2천 4백만 원 이상	2천 4백만 원 미만	7천 5백만 원 이상	7천 5백만 원 미만

다단계판매업의 후원수당은 개인서비스업에 해당하여 직전 사업연도 수입금액이 7천 5백만 원 이상인 경우에는 복식부기의무에 따라, 7천 5백만 원 미만인 경우에는 간편장부를 작성하는 것이 원칙이나 추계로 신고할 때에는 2천 4백만 원 이상인 경우에는 기준경비율로, 2천 4백만 원 미만인 경우는 단순경비율을 적용한다.

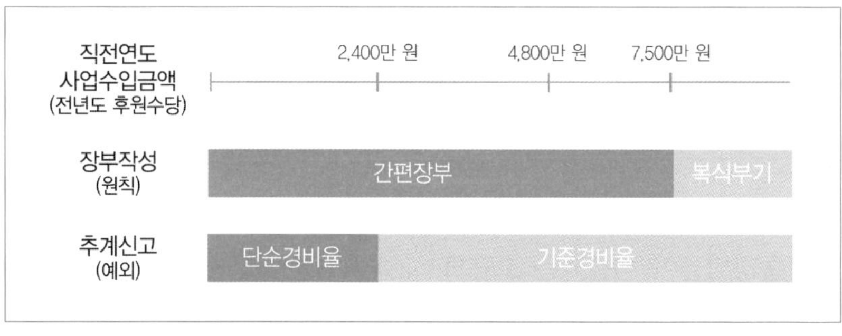

그림 수입금액 구간별 장부작성 및 추계신고방법

(3) 추계과세제도

1) 기준경비율

기준경비율 제도는 장부를 기장하지 않는 사업자도 기장하는 사업자의 경우와 같이 수입금액에서 필요경비를 빼서 소득금액을 계산하는 제도이다.

기준경비율이 적용되는 사업자(직전 사업연도 수입금액 7천 5백만 원 미만)의 경우 사업자의 기본비용인 매입비용, 임차료, 인건비 등 주요경비는 증빙에 의하여 확인되는 금액으로 하고, 기타비용은 국세청에서 정한 기준경비율에 의해 필요경비를 산정하여 소득금액을 계산한다.

> 소득금액 = 수입금액 - 주요경비(매입비용 + 임차료 + 인건비)
> - (수입금액 × 기준경비율*) + 충당금·준비금 환입액
>
> * 복식부기의무자는 기준경비율의 1/2을 곱하여 계산
> 한도: 소득금액 = [수입금액 - (수입금액 × 단순경비율)] × 배율**) + 충당금·준비금 환입액
>
> ** 2019 귀속 배율: 간편장부대상자 2.6배, 복식부기의무자 3.2배
> 2020 귀속 배율: 간편장부대상자 2.8배, 복식부기의무자 3.4배

2) 단순경비율

단순경비율이 적용되는 소규모 사업자(직전 사업연도 수입금액 2천 4백만 원 미만)에 대하여 납세편의를 위해 단순경비율로 필요경비를 인정하여 소득금액을 계산한다.

단순경비율 적용대상자라도 증빙확인경비가 있으면 기준경비율 적용대상자의 추계소득금액 적용이 가능하다. 다만, 사업자가 기준경비율 적용대상자인 경우에는 단순경비율을 적용할 수 없다.

소득금액 = 수입금액 - (수입금액 × 단순경비율) + 충당금·준비금 환입액

13. 단순경비율과 기준경비율의 계산 방법

(1) 경비율의 고시

기준경비율 및 단순경비율은 개인, 법인 사업자의 소득금액을 추계결정 또는 경정을 적용하는데, 매년 국세청장이 해당 과세기간에 적용할 업종별 기준경비율 및 단순경비율을 종합소득세 신고기간 1달 전까지 기준경비율 심의위원회의 심사를 거쳐 확정하여 최종 고시한다.

(2) 기준경비율과 단순경비율의 구조

기준경비율 및 단순경비율은 타가사업자(사업장을 빌려 임차료를 지급하는 사업자)에게 적용되는 율(타가율)을 일반율로 한다. 자가사업자에게 적용되는 율(자가율)은 별도로 두지 아니하고, 일반율에 일정한 율을 가산하거나 차감하여 자가사업자에게 적용한다.

1) 다단계판매업의 단순경비율 및 기준경비율

다단계판매와 관련된 경비율은 다단계판매원의 소매이익과 후원수당으로 구분되는데, 과거와 달리 지금 다단계판매원은 소매이익을 얻을 목적보다는 후원수당을 받을 목적으로 한다.

여하튼 다단계판매원의 추계과세 시 적용되는 2019년 귀속(국세청 고시 제2020-9호, 2020. 3. 31.) 단순경비율과 기준경비율은 아래와 같다.

<표> 2019년 귀속 단순·기준경비율

코드번호	종목		적용범위 및 기준	단순경비율		기준경비율
	세분류	세세분류		기본율	초과율	
525200	기타무점포 소매업	방문판매업	「방문판매 등에 관한 법률」에 따른 다단계 판매원의 소매수입	80.3%	-	9.7%
940910	기타자영업	다단계판매원의 후원수당	「방문판매 등에 관한 법률」에 따른 다단계 판매원의 후원수당	67.8%	54.9%	19.9%

2) 계산방법

업종별 기준경비율 및 단순경비율은 사업장별, 종목구분별(코드번호 단위)로 해당 수입금액에 적용하며, 공동사업자에 대한 기준경비율 및 단순경비율은 사업장별 총수입금액에 적용한다.

특히, 인적 용역 제공사업자(94××××)의 단순경비율(기본율·초과율)은 수입금액이 4천만 원까지는 기본율을 적용하고, 4천만 원을 초과하는 금액은 초과율을 적용한다.

단순경비율 적용대상자로서 연간 수입금액이 45백만 원인 다단계판매원(940910)의 소득금액 계산(2019년 귀속)

{40,000천 원 - (40,000천 원 × 67.8%)} + {5,000천 원 - (5,000천 원 × 54.9%)}
= 15,135천 원

14. 다단계판매원의 case별 소득금액 계산 사례(1)

다단계판매원 김절세는 2019년도 후원수당이 30,000,000원(다른 사업소득은 없다고 가정)이며, 지출증빙으로 확인되는 임차료, 인건비 등은 없으나 주요 매입비용으로 광고선전용 매입 상품이 10,000,000원이 발생하였다.
김절세는 장부를 작성하지 않고 추계로 종합소득세를 신고하려고 할 때, 소득금액은 얼마일까?

Case1. 김절세의 2018년도 후원수당(다른 사업소득은 없음)이 20,000,000원인 경우

→ 김절세는 2019년 직전 사업연도(2018년)의 사업수입금액이 20,000,000원이므로, 추계 시 단순경비율 적용대상자에 해당한다.

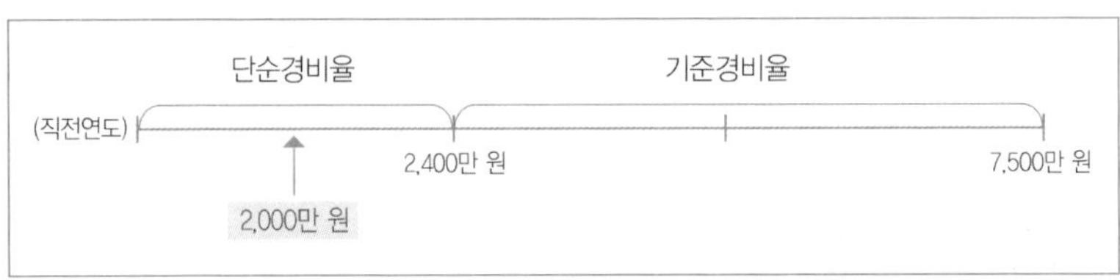

따라서, 2019년도 후원수당에 대한 소득금액을 계산하면 9,660,000원이다.

30,000,000－(30,000,000×67.8%)＝9,660,000원

Case2. 김절세의 2018년도 후원수당(다른 사업소득은 없음)이 40,000,000원인 경우

→ 김절세는 2019년 직전 사업연도(2018년)의 사업수입금액이 40,000,000원이므로, 추계 시 기준경비율 적용대상자(장부를 작성한다면, 간편장부대상자)에 해당한다.

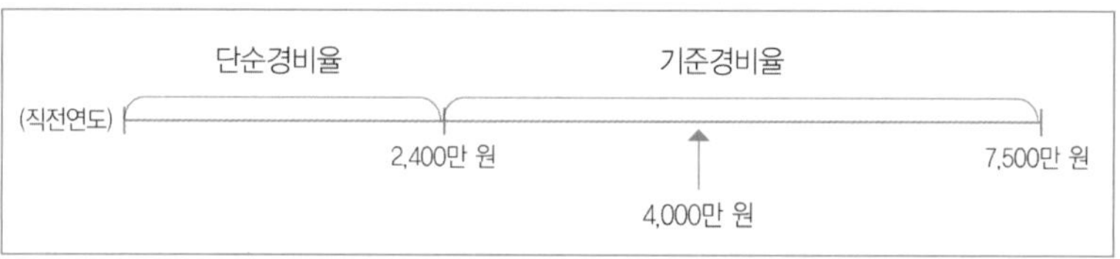

따라서, 2019년도 후원수당에 대한 소득금액 계산은 Min(①, ②)로 14,030,000원이다.

① 30,000,000－10,000,000(주요경비)－(30,000,000×19.9%)
＝14,030,000원

기준소득금액 = 수입금액 - (주요경비 + 기타경비)
기타경비 = 수입금액×기준경비율

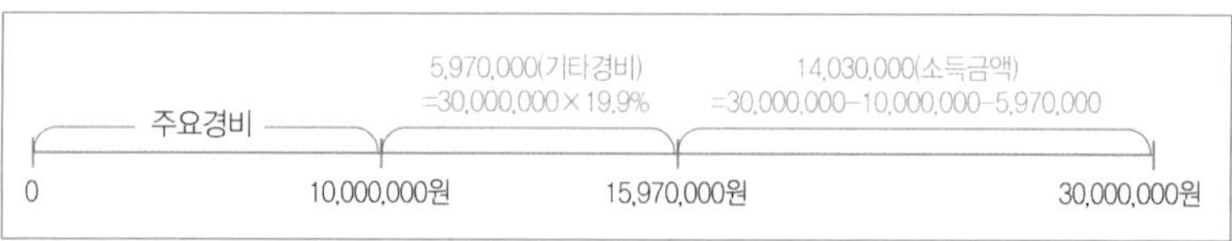

② {30,000,000 − (30,000,000 × 67.8%)} × 2.6배 = 25,116,000원

> 소득금액 = (수입금액-수입금액 × 단순경비율) × 배율*
> * (간편장부대상자 2.6, 복식부기의무자 3.2)

Case3. 김절세의 2018년도 후원수당(다른 사업소득은 없음)이 80,000,000원인 경우

→ 김절세는 2019년 직전 사업연도(2018년)의 사업수입금액이 80,000,000원이므로, 추계 시 기준경비율 적용대상자(장부를 작성한다면, 복식부기대상자)에 해당한다.

따라서, 2019년도 후원수당에 대한 소득금액 계산은 Min(①, ②)로 17,015,000원이다.

① 30,000,000 − 10,000,000(주요경비) − (30,000,000 × 19.9% × 1/2) = 17,015,000원

> 기준소득금액 = 수입금액 - (주요경비 + 기타경비*)
> * 복식부기의무자 = 수입금액 × 기준경비율 × 1/2

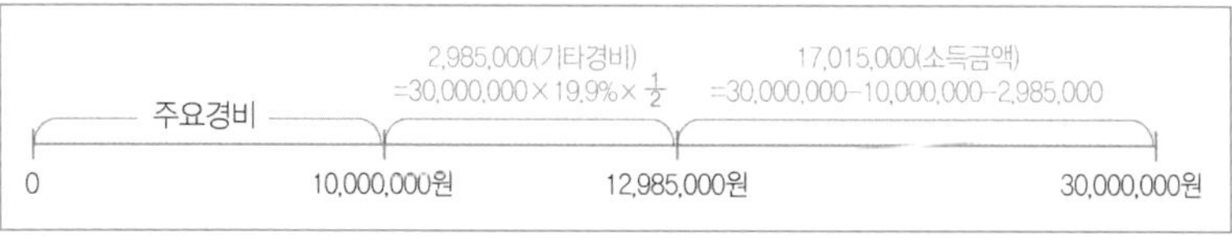

② {30,000,000 − (30,000,000 × 67.8%)} × 3.2배 = 30,000,000원

> 소득금액 = (수입금액-수입금액 × 단순경비율) × 배율*
> * 복식부기의무자 3.2

15. 다단계판매원의 case별 소득금액 계산 사례(2)

다단계판매원 김절세는 2019년도 후원수당이 50,000,000원(다른 사업소득은 없다고 가정)이며, 지출증빙으로 확인되는 임차료, 인건비 등은 없으나 주요 매입비용으로 광고선전용 매입 상품이 15,000,000원이 발생하였다.
김절세는 장부를 작성하지 않고 추계로 종합소득세를 신고하려고 할 때, 소득금액은 얼마일까?

Case1. 김절세의 2018년도 후원수당(다른 사업소득은 없음)이 20,000,000원인 경우

→ 김절세는 2019년 직전 사업연도(2018년)의 사업수입금액이 20,000,000원이므로, 추계 시 단순경비율 적용대상자에 해당한다. 따라서, 2019년도 후원수당에 대한 소득금액은 수입금액이 40,000,000원까지는 기본율을 적용하고 40,000,000원을 초과하는 금액에 대하여는 초과율을 적용하면 17,390,000원이다.
40,000,000－(40,000,000×67.8%)}＋{10,000,000－(10,000,000×54.9%)}＝17,390,000원

Case2. 김절세의 2018년도 후원수당(다른 사업소득은 없음)이 40,000,000원인 경우

→ 김절세는 2019년 직전 사업연도(2018년)의 사업수입금액이 40,000,000원이므로, 추계 시 기준경비율 적용대상자(장부를 작성한다면, 간편장부대상자)에 해당한다.
따라서, 2019년도 후원수당에 대한 소득금액 계산은 Min(①, ②)로 25,050,000원이다.

① 50,000,000－15,000,000(주요경비)－(50,000,000×19.9%)
=25,050,000원

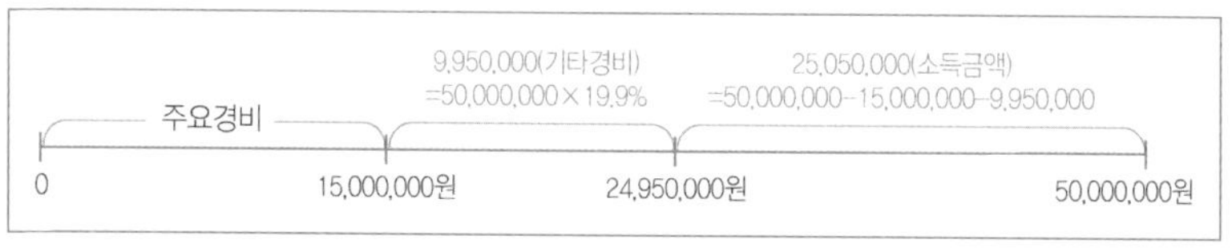

② 한도=[수입금액－(수입금액×경비율)]×배율
{[40,000,000－(40,000,000×67.8%)]+[10,000,000－(10,000,000×54.9%)]}×2.6배=45,214,000원

Case3. 김절세의 2018년도 후원수당(다른 사업소득은 없음)이 80,000,000원인 경우

→ 김절세는 2019년 직전 사업연도(2018년)의 사업수입금액이 80,000,000원이므로, 추계 시 기준경비율 적용대상자(장부를 작성한다면, 복식부기대상자)에 해당한다.

따라서, 2019년도 후원수당에 대한 소득금액 계산은 Min(①, ②)로 30,025,000원이다.

① 50,000,000－15,000,000(주요경비)－(50,000,000×19.9%×1/2) ＝30,025,000원

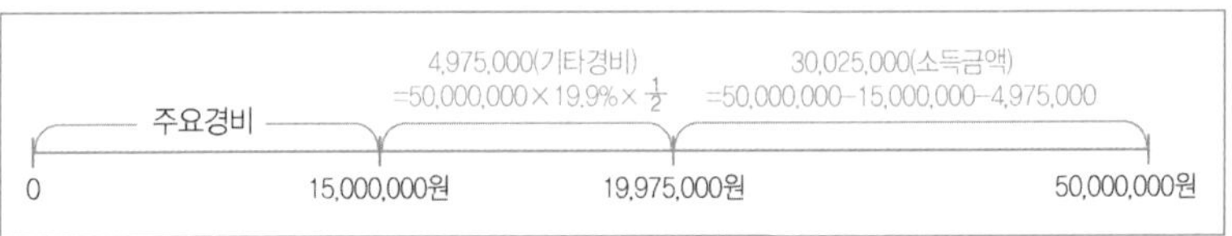

② 한도＝[수입금액－(수입금액×경비율)]×배율
{[40,000,000－(40,000,000×67.8%)]＋[10,000,000－(10,000,000×54.9%)]}×3.2배＝50,000,000원

16. 다단계판매원 추계과세제도의 세액 비교

다단계판매원 김절세의 2019년도 후원수당이 30,000,000원(또는 50,000,000원, 다른 사업소득은 없다고 가정)이며, 지출증빙으로 확인되는 주요 매입비용이 10,000,000원(또는 15,000,000원)이 발생했을 때, 장부를 작성하지 않고 추계과세를 적용받을 때 세액 비교를 하면 다음과 같다.

<표> 추계과세 시 산출세액 비교

(단위: 원)

구분	단순경비율 적용대상자	기준경비율 적용대상자	복식부기 적용대상자	단순경비율 적용대상자	기준경비율 적용대상자	복식부기 적용대상자
수입금액	30,000,000			50,000,000		
(-)필요경비	20,340,000	15,970,000	12,985,000	32,610,000	24,950,000	19,975,000
=소득금액	9,660,000	14,030,000	17,015,000	17,390,000	25,050,000	30,025,000
(-)소득공제	1,500,000			1,500,000		
=과세표준	8,160,000	12,530,000	15,515,000	15,890,000	23,550,000	28,525,000
× 세율	6%	15%	15%	15%	15%	15%
=산출세액	489,600	799,500	1,247,250	1,303,500	2,452,500	3,198,750

김절세의 후원수당이 30,000,000원에서 50,000,000원으로 167%가 증가했을 때, 단순경비율 적용대상자의 산출세액은 266% 증가(489,000원→1,303,500원), 기준경비율 적용대상자의 산출세액은 307% 증가(799,500원→2,452,500원), 복식부기 적용대상자의 산출세액은 256%(1,247,250원→3,198,750원)가 증가한다.

다단계판매원이 이 사업을 계속적으로 한다면 후원수당이 증가하는 것은 지극히 당연하다. 그러므로 후원수당이 1배 증가한다고 볼 때, 기장을 하지 않고 추계로 신고하게 되면 소득세 산출세액은 2배 이상 증가하여 김절세는 소득세에 대한 부담을 급격히 느끼게 될 것이다.

그렇다면 김절세는 계속 간편장부든 복식부기든 장부를 작성하지 않고, 소득세 신고가 쉽고 간편하다는 이유로 추계과세로 계속 신고하면서 증가한 소득세를 부담할 것인가?

우리는 앞 장에서 복식부기와 간편장부를 통한 소득세 신고(제3장 8.), 장부기장(간편장부)의 작성과 신고방법(제3장 9.), 간편장부 작성을 하면 혜택이 무엇인지(제3장 10.)에 대하여 알아보았다.

필자는 다단계판매원을 대상으로 부가가치세, 소득세 강의를 몇 년 동안 해오면서 강조하는 것이 있다. 바로 장부 기장을 해야 한다는 것이다. 추계과세로 세부담을 느끼는 다단계판매원이라면 간편장부나 복식부기로 소득금액을 계산하면 추계과세 때보다 급격히 증가한 세부담을 줄일 수 있다고 말이다. 우리는 숫자로 계산해서 머리로

체감을 해야만 세부담이 얼마나 감소하는지 느낄 것이다. 김절세의 후원수당은 위의 예와 같다.

가령, 김절세의 후원수당이 30,000,000원일 때 매월 지출되는 비용이 1,700,000원이고, 후원수당이 50,000,000원일 때 매월 지출되는 비용이 2,700,000원이라 가정하고, 기준경비율과 간편장부로 소득세를 계산해서 그 차이를 보면 아래와 같다.

(단위: 원)

구분	기준경비율	간편장부	차이	기준경비율	간편장부	차이
후원수당	30,000,000	30,000,000		50,000,000	50,000,000	
월비용	19.90%	월1,700,000		19.90%	월2,700,000	
필요경비	15,970,000	20,400,000		24,950,000	32,400,000	
소득금액	14,030,000	9,600,000		25,050,000	17,600,000	
소득공제	1,500,000	1,500,000		1,500,000	1,500,000	
과세표준	12,530,000	8,100,000		23,550,000	16,100,000	
세율	15.0%	6.0%		15.0%	15.0%	
산출세액	799,500	486,000	313,500	2,452,500	1,335,000	1,117,500

만약, 김절세가 기준경비율로 신고할 때 주요 경비가 없다면 기준경비율과 간편장부를 작성하여 소득세를 계산하면 그 차이는 더욱 심해질 것이다.

(단위: 원)

구분	기준경비율	간편장부	차이	기준경비율	간편장부	차이
후원수당	30,000,000	30,000,000		50,000,000	50,000,000	
월비용	19.90%	월1,700,000		19.90%	월2,700,000	
필요경비	5,970,000	20,400,000		9,950,000	32,400,000	
소득금액	24,030,000	9,600,000		40,050,000	17,600,000	
소득공제	1,500,000	1,500,000		1,500,000	1,500,000	
과세표준	22,530,000	8,100,000		38,550,000	16,100,000	
세율	15.0%	6.0%		15.0%	15.0%	
산출세액	2,299,500	486,000	1,813,500	4,702,500	1,335,000	3,367,500

결국, 김절세가 기준경비율로 신고할 지 간편장부로 신고할 지는 선택의 문제이다.

17. 장부작성을 하면 인정받는 필요경비

사업소득을 계산할 때 필요경비로 인정받기 위해서는 해당 과세기간의 총수입금액에 대응하는 비용으로서, 일반적으로 용인되는 통상적인 것의 합계액으로 한다.

다단계판매원의 사업소득은 다단계판매원이 상품을 판매하여 얻는 소득, 다시 말하면 매출액에서 매출원가를 차감한 다단계판매원의 소매이익과 다단계판매원의 본인 그룹에서 발생한 후원수당 중 본인이 제공한 용역의 대가로 받는 후원수당에서 필요경비를 차감하면 된다고 앞서 설명하였다.

즉, 다단계판매원의 소매이익이나 후원수당이 사업소득에 해당하므로 장부를 기반으로 계산하면, 다단계판매회사에서 받는 총수입금액에서 필요경비를 차감하면 다단계판매원의 사업소득금액이 된다.

사업소득(다단계판매원) = 총수입금액(후원수당 등) - 필요경비(비용)

다단계판매원이 가장 많이 하는 질문 중에 “비용은 어떤 것들이 있나요?”이다. 필요경비는 세법적 용어라서 비용이라고 표현하면, 공제받는 비용은 사업과 관련성이 있고, 3만 원 이상의 비용은 법적 지출증빙서류를 받아야 가산세 부담이 없다. 사업과 관련이 없는 비용이라면 수입금액(후원수당)에서 비용으로 공제가 안 되는 것은 너무도 당연하다.

비용에는 돈이 지출되는 즉시 비용으로 인정되는 것과 자동차나 사무실 비품과 같이 자산으로 계상된 후에 감가상각비를 통해 비용으로 인정되는 것이 있다. 먼저, 사업과 관련된 지출로써 즉시 비용으로 인정될 수 있는 것에 대한 예는 다음과 같다.

지출 항목(계정)	비용으로 인정되는 내용
인건비 (직원 급여)	사업자가 종업원을 고용하여 근로의 대가로 지급하는 비용을 말한다. 사업자(공동사업자)의 인건비와 사업에 종사하지 않는 사업자 가족의 인건비는 공제되지 않으며, 나머지 인건비는 비용으로 공제된다. 그러나 대부분의 다단계판매원은 종업원을 고용하지 않기 때문에 인건비 공제가 되는 다단계판매원은 극히 일부분이 될 것이다.
복리후생비	직원을 위하여 복리후생 차원에서 지출되는 비용(경조사비 등)
건강보험료	사업자 본인의 건강보험료는 비용으로 공제된다. 다만, 사업자본인의 국민연금료는 종합소득공제 시 연금보험료공제를 받으므로 비용으로 공제되지 않는다.
여비교통비	업무수행에 지출한 교통비로 택시비, 버스비, 유류비, 통행료, 해외시찰 및 세미나 항공료, 숙박비 등이 여기에 속한다. 특히 세미나 항공료, 숙박료 등은 업무와 관련이 있음을 반드시 입증해야 하며, 단순 관광목적이라면 비용으로 인정받기 어렵다.
소모품비	사무용 비품(1백만 원 이하) 등 1년 이내에 소모되는 유형자산
광고선전비	다단계판매회사로부터 구입한 물품을 신규 회원 모집과 기존 그룹 물품구매 유도 등을 위하여 광고선전이나 시험소비용으로 사용한 경우 그 물품의 매입비용

지출 항목(계정)	비용으로 인정되는 내용
접대비	업무와 관련하여 특정인에게 지출한 비용으로 다단계판매원의 경우 신규 회원 모집이나 자신의 그룹원들에게 제공하는 식사대, 음료수 등이 해당할 것이며, 연간 36백만 원(기본한도)까지 인정된다.
기부금	자기의 사업과 직접적인 관계없이 무상으로 지출하는 금전 및 재산 등의 증여가액으로 정치자금기부금이나 법정기부금은 100% 비용으로 인정받을 수 있다. 지정기부금(주로 종교단체에 지급한 기부금)은 30%까지 비용으로 인정받을 수 있으며, 당해 사업연도에 인정받지 못한 기부금은 이월하여 공제받을 수 있다.

그리고 자동차나 사무실 비품과 같이 자산으로 계상된 후에 감가상각비를 통해 비용으로 인정되는 것이 있다.

지출 항목(계정)	비용으로 인정되는 내용
감가상각비	1년 이상 사용되는 유형자산(대표적인 예: 자동차)으로 감가상각자산에 대하여 감가상각비를 비용으로 계상한 경우에 감가상각범위액에서 비용으로 인정하며, 감가상각범위액보다 더 비용으로 계상한 경우에는 그 범위액을 초과하는 비용은 비용으로 인정하지 않는다. 사업용으로 구입한 자동차는 5년 정액법으로 감가상각하는 것이 일반적이다. 원칙적으로 자동차의 명의는 사업자의 것이어야 하며, 업무와 관련되어 사용되어야 한다.
업무용승용차 관련 비용	복식부기의무자로서 성실신고확인대상자(당해연도 수입금액 5억 원 이상)는 업무용 사용금액만을 비용으로 인정한다.

18. 필요경비로 인정받지 못하는 비용(예시)

사업소득을 계산할 때 비용으로 인정받기 위해서는 해당 과세기간의 총수입금액에 대응하는 비용, 즉 사업과 직접 관련된 비용을 말한다.

그러나 다음의 비용은 사업과 직접 관련은 있으나, 비용으로 인정받을 수 없도록 법에서 열거한 항목이거나 또는 사업과 직접 관련이 없어 비용으로 인정받을 수 없는 예이다.

지출 항목(계정)	비용으로 인정되지 않는 내용
세금과공과금	소득세와 개인지방소득세, 벌금이나 과료(통고처분에 따른 벌금 또는 과료에 해당하는 금액 포함)와 과태료, 국세징수법이나 그 밖에 조세에 관한 법률에 따른 가산금과 체납처분비 및 가산세
가사관련 비용	사업자가 가사와 관련하여 지출하였음이 확인되는 경비
감가상각비	감가상각범위액을 초과하여 비용처리한 금액
접대비	신용카드 등 정규지출증빙을 사용하지 아니한 1만 원 초과 접대비와 접대비 한도를 초과한 금액
업무용승용자동차 관련 비용	업무용승용차 관련 비용 중 업무사용금액에 해당하지 않는 금액

19. 업무용승용자동차에 대한 비용처리

업무용승용자동차에 대한 비용인정제도를 마련하기 전에도 법인 및 개인사업자의 업무에 사용하지 않은 차량에 대한 감가상각비, 임차료, 수선비 등은 전액 비용을 부인해 왔다. 그러나 업무를 집행하는 과정 시 업무용 사용 여부에 대한 확인이 어렵고, 일부만 사용하는 경우 과세기준이 없어 현실적으로 차량 관련 비용이 제한 없이 인정되는 문제점이 있었다. 업무용승용자동차의 경우 사적비용과 업무용 사용이 혼용될 수 있음을 감안하여 명확한 과세기준을 정립하였다.

그래서 2016년부터 법인 및 개인사업자가 취득하거나 임차(리스)하는 업무용승용차에 대한 관련 비용이 비용으로 인정되는 금액에 일정 한도액을 두도록 하였으나, 현실적으로 이를 적용받는 사업자가 비용으로 인정받기까지가 여간 힘들지 않아 몇 차례의 세법 개정이 이루어졌다. 여기서 업무용승용차 관련 비용은 ① 감가상각비, 임차료 중 감가상각비 상당액 ② 유류비, 보험료, 수선비, 자동차세, 통행료, 금융리스부채에 대한 이자비용 등 업무용승용자동차의 취득·유지를 위해 지출한 비용을 말한다.

먼저 업무용승용차 관련 비용이 적용되는 개인사업자는 복식부기 의무자이며, 간편장부대상자는 적용 대상이 아니다. 따라서 복식부기 의무자는 업무용승용자동차에 대한 감가상각비를 계산할 때 정액법으로 5년 동안 상각하여야 한다.

(1) 업무용승용차 관련 비용 규제

① 보유기간 중 차량유지비 중 비업무용으로 사용한 금액은 비용으로 인정하지 않는다.

② 업무용으로 사용한 금액 중 감가상각비 한도 800만 원 초과금액은 비용으로 인정하지 않는다. 비용으로 인정받지 못한 금액은 이후 사업연도에 감가상각비가 800만 원에 미달하는 때, 그 미달하는 금액을 한도로 그 승용차를 처분할 때까지 비용으로 인정한다. 임차(리스)차량의 경우 감가상각비가 800만 원 초과 금액을 비용으로 인정하지 않고, 임차(리스)가 끝난 날의 다음 사업연도부터 10년간 800만 원씩 비용으로 인정해 준다.

③ 처분 시 처분손실 중 800만 원을 초과하는 금액도 비용으로 인정하지 않고, 800만 원을 초과하는 금액은 추후 10년간 비용으로 인정받거나 폐업일에 비용으로 전액 인정해 준다.

(2) 업무용 사용금액

업무용 사용금액은 업무용승용자동차 관련 비용에 업무사용비율을 곱한 금액을 말한다. 업무용 사용비율의 구체적인 내용은 아래 표와 같다.

<table>
<tr><th>구분</th><th>업무사용비율</th></tr>
<tr><td>(1) 운행기록 등을 작성·비치한 경우</td><td>'업무사용비율'이란 국세청장이 기획재정부장관과 협의하여 고시하는 운행기록방법(국세청고시 제2016-13호)에 따라 확인되는 총 주행거리 중 확인되는 업무용 사용거리가 차지하는 비율을 말한다.

$$\text{업무사용비율} = \frac{\text{업무용 사용거리*}}{\text{총 주행거리}}$$

* '업무용 사용거리'란 제조·판매시설 등 해당 사업자의 사업장 방문, 거래처·대리점 방문, 회의 참석, 판촉 활동, 출·퇴근 등 직무와 관련된 업무수행을 위하여 주행한 거리를 말한다.

이러한 업무사용비율을 인정받으려는 사업자는 업무용승용차별로 운행기록 등을 작성·비치해야 하며, 관할 세무서장이 요구할 경우 이를 즉시 제출해야 한다.</td></tr>
<tr><td>(2) 운행기록 등을 작성·비치하지 않은 경우</td><td>해당 업무용승용차의 업무사용비율은 다음의 구분에 따른 비율로 한다.
<table>
<tr><th>해당 과세기간의 업무용승용차 관련 비용</th><th>업무사용비율</th></tr>
<tr><td>① 1,500만 원 이하인 경우</td><td>업무사용비율 = 100%
* 업무용승용차 관련 비용×100% = 업무사용금액≤1,500만 원</td></tr>
<tr><td>② 1,500만 원을 초과하는 경우</td><td>

$$\text{업무사용비율} = \frac{\text{1,500만 원}}{\text{업무용승용차 관련 비용}}$$

* 업무용승용차 관련 비용×업무사용비율 = 업무사용금액(1,500만 원)</td></tr>
</table></td></tr>
</table>

(3) 업무용승용자동차의 관련 비용 중 업무사용금액 산정기준

소득세법은 업무전용자동차보험 가입을 업무사용금액의 비용인정 요건으로 정하지 않고 있다. 개인사업자는 1대의 승용차로 가정과 사업장을 오가는 경우가 많기 때문에, 업무사용비율만을 증명하면 업무사용금액을 비용으로 인정하는 것이다.

복식부기의무자는 업무용승용자동차의 관련 비용 중에서 업무사용금액을 산정하는 기준은 아래의 도표에 따르면 이해하기 쉬울 것이다.

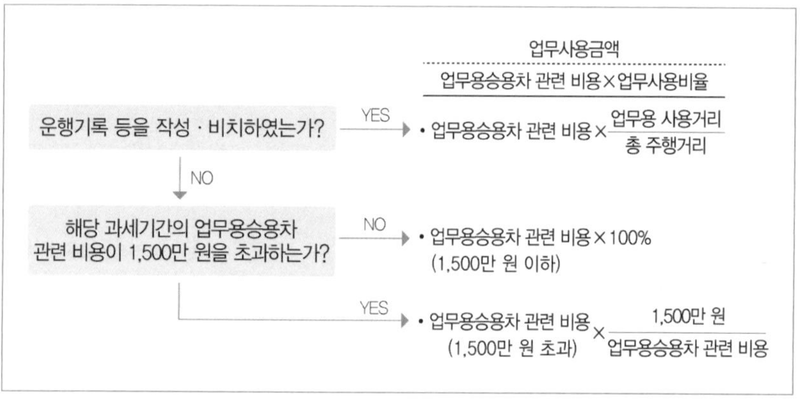

그림 업무용승용차의 관련 비용 중 업무사용금액 산정기준

20. 비용으로 인정받기 위한 정규지출증빙

기장을 하여 사업소득을 계산할 때, 총수입금액이 정해져 있다면 필요경비에 따라 소득금액이 결정된다. 기장이란 영수증 등 증빙자료에 의하여 거래사실을 장부에 기록하는 것이라고 하였다. 따라서 장부의 가장 기초가 되는 것이 증빙서류이다.

증빙서류가 없어도 기장은 할 수 있겠지만, 매입거래에 대하여 비용으로 인정받기 위해서는 객관적인 정황사실이 확인되어야 하고 이를 입증할 수 있는 객관적 증빙이 있어야 하는데, 이렇게 증빙서류가 없이 작성된 장부는 거래의 사실여부를 확인할 수 없어 비용으로 인정받지 못하여 기장을 하지 않은 경우보다 더 많은 세금을 내야 할 수도 있다.

따라서 매입거래에 대한 비용을 인정받기 위한 증빙서류는 비용이 지출될 때마다 챙겨놓는 것이 좋다. 그리고 중요한 것은 비용으로 인정받기 위한 지출증빙은 세금계산서, 계산서, 신용카드매출전표, 현금영수증과 같은 적격증빙서류를 받아야 한다. 특히 복식부기의무자(직전 사업연도 사업수입금액이 7천 5백만 원 이상)의 경우 적격증빙서류를 받지 않으면 비용 중 적격증빙을 받지 않은 금액의 2%에 해당하는 증명서류 수취불성실가산세를 내야 하므로, 반드시 적격증빙을 받아야 한다.

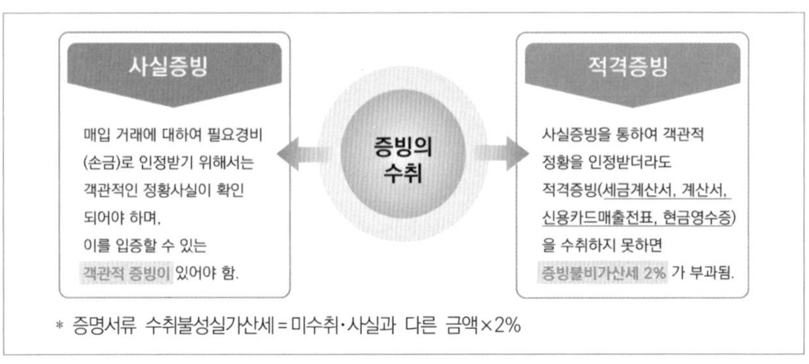

사실증빙
매입 거래에 대하여 필요경비(손금)로 인정받기 위해서는 객관적인 정황사실이 확인되어야 하며, 이를 입증할 수 있는 객관적 증빙이 있어야 함.
증빙의 수취
적격증빙
사실증빙을 통하여 객관적 정황을 인정받더라도 적격증빙(세금계산서, 계산서, 신용카드매출전표, 현금영수증)을 수취하지 못하면 증빙불비가산세 2% 가 부과됨.
* 증명서류 수취불성실가산세 = 미수취·사실과 다른 금액×2%

그림 사실증빙 vs 적격증빙

다만, 건당 거래금액(부가세 포함)이 3만 원 이하인 경우 등 특수한 경우에는 적격증빙서류를 받지 않아도 되며, 이에 대하여는 증빙불비가산세도 부과되지 않는다. 적격증빙 수취의무가 면제되는 경우의 예는 다음 그림과 같다.

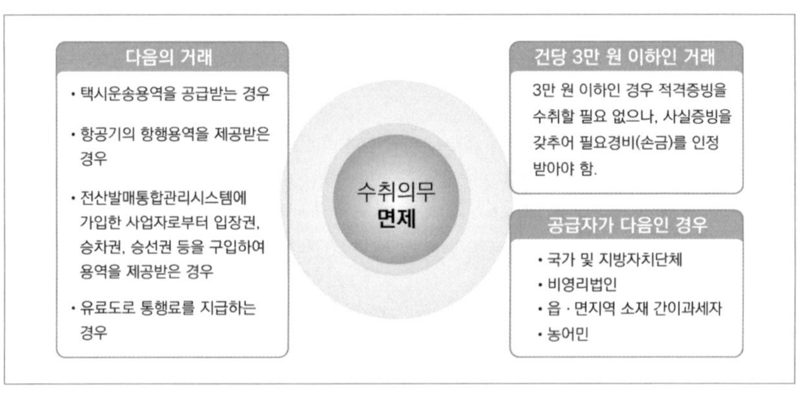

다음의 거래
• 택시운송용역을 공급받는 경우
• 항공기의 항행용역을 제공받은 경우
• 전산발매통합관리시스템에 가입한 사업자로부터 입장권, 승차권, 승선권 등을 구입하여 용역을 제공받은 경우
• 유료도로 통행료를 지급하는 경우
수취의무 면제
건당 3만 원 이하인 거래
3만 원 이하인 경우 적격증빙을 수취할 필요 없으나, 사실증빙을 갖추어 필요경비(손금)를 인정 받아야 함.
공급자가 다음인 경우
• 국가 및 지방자치단체
• 비영리법인
• 읍 · 면지역 소재 간이과세자
• 농어민

그림 적격증빙 수취 의무가 면제되는 경우

21. 기장한 경우 증빙서류 보관의무

지출증명서류는 소득세 확정신고 기간 종료일부터 5년간 보관하여야 한다. 특히, 기준경비율 제도는 장부를 기장하지 않아도 기장하는 사업자의 경우와 같이 수입금액에서 필요경비를 차감하여 소득금액을 계산한다.

이 경우 필요경비는 사업의 기본경비인 매입비용, 임차료, 인건비 등 주요경비는 증빙에 의하여 확인되는 금액으로 하므로 기준경비율 제도를 적용받는 사업자도 주요경비에 대한 증빙을 5년간 보관하여야 한다.

다만, 사업자가 「여신전문금융업법」에 의한 신용카드업자로부터 교부받은 신용카드 및 직불카드 등의 월별이용대금명세서나 전사적자원관리시스템에 보관하고 있는 신용카드 및 직불카드 등의 거래정보, 현금영수증, 국세청장에게 전송된 전자세금계산서(계산서)는 지출증명서류를 보관한 것으로 보아 이를 따로 보관하지 않을 수 있다.

신용카드 매출전표를 별도 보관할 의무가 있는지 여부
(서면-2018-법인-0656 [법인세과-1227], 2018. 5. 21.)

내국법인이 「법인세법」 제116조 제2항 제1호에 따른 신용카드 매출전표를 받은 경우에는 같은 법 시행령 제158조 제5항에 따라 「법인세법」 제116조 제1항에 따른 지출증명서류를 보관한 것으로 보아 이를 별도로 보관하지 아니할 수 있는 것입니다.

법인의 업무와 관련하여 지출된 법인의 임직원 명의의 신용카드 거래정보를 「여신전문금융업법」에 의한 신용카드업자로부터 전송받아 「국세기본법 시행령」 제65조의7에서 정하는 기준에 적합한 전사적자원관리시스템에 보관하고 있는 경우에는 「법인세법」 제116조 제2항 제1호에 규정된 신용카드 매출전표를 수취하여 보관하고 있는 것으로 보는 것입니다.

22. 소득금액에서 차감되는 소득공제대상 항목

앞에서 본 종합소득세 계산구조의 그림을 떠올려 보자.

총수입금액에서 필요경비를 빼면 종합소득금액이 나온다. 그리고 종합소득금액에서 종합소득공제를 빼면 과세표준이다. 그리고 과세표준에 세율을 곱하면 산출세액이 나온다.

종합소득금액	=	총수입금액	−	필요경비
과세표준	=	종합소득금액	−	종합소득공제
산출세액	=	과세표준	×	세율

종합소득공제란 무엇인가?

종합소득공제에는 인적공제와 연금보험료공제, 주택담보노후연금이자비용공제, 특별소득공제 및 조세특례제한법상 소득공제가 있다. 인적공제는 기본공제와 추가공제로 나뉘고, 연금보험료공제 등은 아래 그림으로 설명하며, 공제대상이 되면 세금을 절약할 수 있으므로 이를 놓치지 않고 챙겨서 공제받는 것도 절세의 한 방법이다.

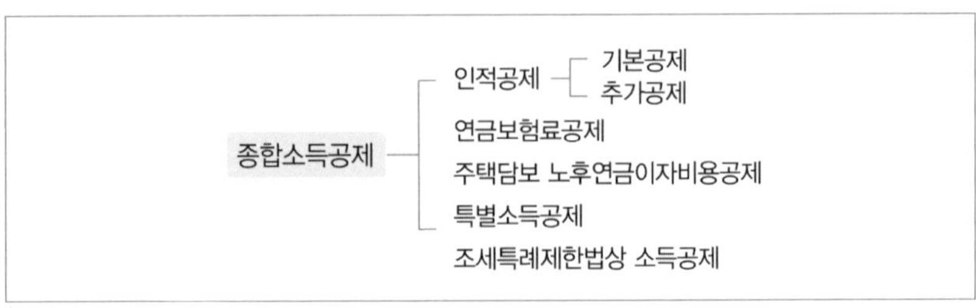

대부분의 다단계판매원은 후원수당을 받을 목적으로 이 사업을 진행하는데, 이 사업을 전적으로 하기보다는 부업(Sub job, Second job)으로 시작한다. 그래서 근로소득과 사업소득이 있는 다단계판매원은 소득공제를 꼼꼼히 챙기는데, 근로소득이 없이 부업으로 사업소득만 있는 판매원들은 소득공제를 꼼꼼히 챙기지 않아 소득공제를 받을 수 있는데 이를 잘 알지 못해 공제받지 못하는 경우가 종종 있다. 이러한 경우는 "제2장 조세총괄 편"에서 보았듯이, 당초 신고를 하였다면 경정청구를 통해 세금을 돌려받을 수 있다.

소득공제 항목

① 기본공제(본인 및 부양가족공제)

구분	2020년도	비고
본인	150만 원/인	단, 소득금액 합계액이 100만 원 이하인 자(근로소득만 있는 경우에는 총급여액 500만 원 이하의 근로소득만 있는 배우자, 부양가족)
배우자	150만 원/인	
부양가족	150만 원/인(직계존속: 만 60세 이상, 직계비속: 만 20세 이하, 형제자매: 만 20세 이하, 만 60세 이상)	

② 추가공제(경로우대 공제)

구분	2020년도	비고
70세 이상	100만 원/인	

③ 추가공제(장애인 공제)

구분	2020년도	비고
장애인 공제	200만 원/인	나이제한 없음

④ 추가공제(부녀자 공제)

구분	2020년도	비고
부녀자 공제	50만 원	배우자가 있는 여성 또는 부양가족이 있는 세대주인 여성으로 종합소득금액이 3천만 원 이하인 거주자에 한함.

※ 단, 아래의 "한부모 공제"를 적용받는 경우에 부녀자 공제와 중복하여 적용 불가능함.

⑤ 추가공제(한부모 공제)

구분	2020년도	비고
한부모 공제	연 100만 원	해당 거주자가 배우자가 없는 자로서 부양자녀가 있는 경우

⑥ 공적연금보험료공제(국민연금보험료)

구분	2020년도	비고
연금보험료 공제	납부액 전액 공제	건강보험료는 필요경비에서 차감

⑦ 개인 연금저축 소득공제(2000. 12. 31. 이전 가입 사례)

구분	2020년도	비고
연금저축 소득공제	연간납입 금액의 40%(연 72만 원 한도)	

⑧ 기타 소득공제 등 내용

구분	2020년도	비고
청약저축·주택청약 종합저축 공제	• 요건: 총 급여 7,000만 원 이하 근로자인 무주택 세대주 • 소득공제 금액: 연 납입액 240만 원을 한도로 40% 공제 • 무주택확인서 제출기한: 해당 과세연도의 다음 연도 2월 말	
주택임차차입금 원리금상환액 공제	300만 원 한도	
소기업·소상공인 소득공제	• 법인의 대표자로서 해당 과세기간의 총급여액이 7,000만 원 이하인 경우 → 근로소득금액에서 공제 • 이 외의 사례 → 사업소득금액에서 공제 (단, 사업소득 중 부동산임대업의 소득금액을 뺀 금액 한도)	
신용카드소득공제	• 요건 1. 해당 과세기간에 근로소득이 있을 것 2. 총급여액에 따라 한도금액 상이 3. 도서, 공연사용분에 대한 공제요건 신설 • 공제액: Min((신용카드 사용액 등 - 총급여액 ×25%)×(15, 30, 40%), 300만 원(250만 원, 200만 원))	면세점 사용 금액에 대한 신용카드 금액 소득공제 적용 제외

23. 종합소득세의 세율과 계산

우리는 "제2장 조세총괄 편"에서 "세율"이란 과세표준에 대한 세액의 비율로 종가세의 경우는 세율이 보통 백분율로 표시되고, 종량세의 경우는 세율이 금액으로 표시된다고 이미 보았다. 즉, 소득세나 법인세의 경우는 종가세에 해당하여 과세표준이 높을수록 세율이 높아지는 누진세율에 해당하고, 자동차세의 경우 배기량당 일정금액으로 표시된다.

그렇다면 종합소득세의 세율 구조가 누진세라고 하는데, 종합소득 과세표준 구간별 적용세율은 몇 %이고 산출세액은 어떻게 계산하는 것일까?

아래 그림과 같이 적용세율은 종합소득 과세표준에 6~42%(지방소득세를 감안한다면 6.6~46.4%)이며, 과세표준 구간별 산출세액 계산(예)를 보면 누구나 종합소득세 산출세액쯤은 계산할 수 있을 것이다.

<표> 세율과 계산(예)

(단위: 원)

종합소득 과세표준	세율	누진공제액	산출세액 계산(예)
1,200만 원 이하	6%		8,000,000×6%=480,000
1,200만 원 초과 4,600만 원 이하	15%	1,080,000	25,000,000×15%-1,080,000=2,670,000
4,600만 원 초과 8,800만 원 이하	24%	5,220,000	60,000,000×24%-5,220,000=9,180,000
8,800만 원 초과 1억 5천만 원 이하	35%	14.900,000	100,000,000×35%-14,900,000=20,100,000
1억 5천만 원 초과 3억 원 이하	38%	19.400,000	200,000,000×38%-19,400,000=56,600,000
3억 원 초과 5억 원 이하	40%	25,400,000	400,000,000×40%-25,400,000=134,600,000
5억 원 초과	42%	35,400,000	600,000,000×42%-35,400,000=216,600,000

24. 절세를 위한 세액공제와 세액감면제도 활용

세액공제란 산출세액에서 일정액을 공제하는 제도이다. 현행 소득세법과 조세특례제한법은 종합소득세의 경우 다음과 같은 세액공제를 인정하고 있으며, 세액감면은 특정한 소득에 대해 사후적으로 세금을 완전히 면제해 주거나 또는 일정한 비율만큼 경감해 주는 것을 말한다.

다단계판매원의 경우는 세액감면을 받을 만한 제도는 거의 없는 반면에 간편장부대상자가 복식부기로 장부기장하고 재무제표를 작성 제출한 경우 받는 기장세액공제, 자녀세액공제 등이 있는데, 자세한 내용은 다음 표와 같다.

■ 세액공제 제도

① 자녀 세액공제

구분	2020년도	비고
자녀 세액공제	1명 연 15만 원, 2명 연 30만 원, 3명 이상 연 30만 원+ 2인 초과하는 1명당 30만 원	
대상 자녀 세액공제	7세 이상의 자녀	7세 미만의 취학아동은 2020. 1. 1. 이후 발생하는 소득분부터 제외됨.
출산·입양 세액공제	첫째인 경우 연 30만 원, 둘째인 경우 연 50만 원, 셋째 이상인 경우 연 70만 원	

② 연금저축, 연금계좌 세액공제(2001. 1. 1. 이후 가입 사례)

구분	2020년도	비고
연금계좌 세액공제	Min[7백만 원, Min(4백만 원, 연금저축계좌 납입액)+퇴직연금계좌 납입액]×12% or 15% ※ 근로소득만 있는 경우 총급여 1억 2천만 원 또는 종합소득금액 1억 원 초과자는 위의 4백만 원이 3백만 원으로 적용	세액공제율 15% 적용: 총급여액이 5,500만 원(종합소득금액 4천만 원) 이하인 경우

③ 기부금 세액공제

구분	2020년도	비고
공제가능 기부당사자 범위	• 기본공제 대상자(소득요건만 충족하면 됨)	
기부금 이월공제	• 이월공제기간: 지정 10년, 법정 10년 • 대상자: 개인사업자, 근로소득자	13. 1. 1. 이후 개시하는 사업연도에 지출한 기부금, 이월공제 기간을 10년으로 확대

구분	2020년도	비고
정치자금 기부금	• 10만 원 이하 분: 기부 금액×100/110 세액공제	기부금 세액공제 확대
	• 10만 원 초과분: 기부금액×15% 세액공제 ※ 단, 3천만 원 초과하는 기부금액은 25% 세액공제 적용	
법정기부금 우리사주조합기부금 지정기부금	• 법정, 우리사주, 지정기부금액×15% 세액공제 ※ 단, 1천만 원 초과하는 기부금액은 30% 세액공제 적용	

④ 기장 세액공제

구분	2020년도	비고
대상자	간편장부대상자	
공제 요건	간편장부대상자가 복식부기에 따라 기장하여 소득금액계산하고, 재무상태표 등을 제출하는 경우	
기장 세액공제금액	산출세액×복식부기 기장사업 수입금액/종합소득금액×20%(100만 원 한도)	

⑤ 기타 세액공제

구분	2020년도	비고
보험료 세액공제	• 일반보험: 해당 보험료 지출액*에 12%를 세액공제 • 장애인보험: 해당 보험료 지출액*에 15%를 세액공제	*100만 원 한도
의료비 세액공제	• 총급여 3% 초과하는 의료비* 금액의 15%를 세액공제 • 난임부부 시술비의 경우 별도로 20%를 세액공제 * 산후조리원 비용 - (대상) 총급여 7천만 원 이하 근로자, 사업소득금액 6천만 원 이하 성실사업자 등/(한도) 200만 원	*700만 원 한도

구분	2020년도	비고
교육비 세액공제	• 교육비 지출금액의 15%를 세액공제 • 근로자 본인의 대학·대학원에 지출한 교육비는 전액 공제 대상 • 취학 전 아동 및 초·중·고생 1명당 연 300만 원, 대학생 1명당 900만 원 한도로 지출한 교육비 • 기본공제 대상인 장애인의 재활교육을 위해 지출한 특수교육비 전액 공제 대상	
월세액 세액공제	• MIN(월세액－일할계산, 750만 원)×10%(12%) 금액을 세액공제 • 무주택확인서 제출기한: 해당 과세연도의 다음연도 2월 말까지(무주택근로자는 전년과 동일하게 적용하며, 대상자를 추가) • 대상추가: 종합소득금액 6천만 원 이하인 무주택성실사업자*등 * 성실사업자, 성실신고확인대상자로 성실신고확인서를 제출한 자 - 적용률: 10%(단, 종합소득금액 4천만 원 이하인 성실사업자등 12%)	성실사업자 등에 대한 월세 세액공제 허용 (적용기한) 성실사업자등 2021. 12. 31. 까지
표준 세액공제	• 근로소득 없는 거주자 연 7만 원(소득세법에 따른 성실사업자의 경우 연 12만 원)	

25. 소득세 확정신고와 납부

해당 과세기간의 종합소득금액이 있는 자는 그 과세표준과 세액을 해당 과세기간의 다음연도 5월 1일부터 5월 31일까지 납세지(다단계판매원의 주소지) 관할 세무서장에게 신고해야 한다. 해당 과세기간의 과세표준이 없거나 결손금이 있는 경우에도 신고해야 한다.

(1) 확정신고 시 제출서류

① 인적공제, 연금보험료공제, 주택담보노후연금 이자비용공제, 특별소득공제, 자녀세액공제, 연금계좌세액공제 및 특별세액공제대상임을 증명하는 서류

② 종합소득금액 계산의 기초가 된 총수입금액과 필요경비의 계산에 필요한 서류

③ 사업소득금액을 비치·기록된 장부와 증명서류에 따라 계산한 경우 재무상태표·손익계산서(그 부속서류 포함)·합계잔액시산표 및 조정계산서. 다만, 간편장부대상자로서 간편장부에 따른 기장을 한 사업자의 경우에는 간편장부소득금액계산서. 이 경우

복식부기의무자가 재무상태표·손익계산서(그 부속서류 포함)·합계잔액시산표 및 조정계산서를 제출하지 않은 경우는 종합소득과세표준확정신고를 하지 않은 것으로 본다.

④ 사업자가 사업과 관련하여 다른 사업자로부터 재화나 용역을 공급받고 적격증빙서류 외의 증명서류를 받은 때에는 영수증수취명세서

⑤ 사업소득금액을 장부에 의하지 않은 경우에는 추계소득금액계산서

(2) 종합소득세 납부

종합소득세는 과세기간을 1년을 원칙으로 하여 연간 소득세를 일시에 납부하게 되면 납세자는 일시에 많은 자금 부담을 지므로, 이러한 점을 해소하기 위하여 소득세 중간예납제도를 두고 있다. 중간예납기간은 신고를 하는 경우와 납세고지를 받는 경우로 나뉘는데 신고를 하는 경우는 11월 1일부터 11월 30일까지, 납세고지를 받는 경우는 11월 15일부터 11월 30일까지 납부하면 된다. 그리고 그 다음해 5월에 종합소득세 신고 시 납부해야 할 소득세에서 중간예납세액을 차감하고 나머지만 납부하면 된다.

가령, 김절세가 전년도에 납부한 세액이 1천만 원이라면 당해연도에 전년도 납부한 세액의 1/2인 5백만 원이 11월 30일을 납부기한으로 하여 납세고지가 된다. 그리고 김절세가 당해연도에 대한 소득세 신고를 그 다음 해 5월에 했는데, 납부할 세액이 1천 5백만 원이라면 중간예납으로 5백만 원을 납부하였으니 1천만 원만 내면 되는 것이다.

26. 성실신고확인제도

성실신고확인제도란, 당해연도 수입금액이 일정규모 이상인 사업자에 대해 세무사 등에게 장부의 기장내용의 정확성 여부를 확인받아 종합소득세 과세표준 확정신고를 하는 제도이다. 이 제도는 개인사업자의 성실신고를 장려하여 과세표준을 양성화하고 세무조사에 따른 세무행정력의 낭비를 방지하는데 그 취지가 있다.

(1) 성실신고확인대상사업자의 범위

성실신고확인대상사업자란, 해당 과세기간의 수입금액(복식부기의무자가 사업용 유형자산을 양도함으로써 발생한 수입금액은 제외)의 합계액이 아래 표에 따른 금액 이상인 사업자를 말한다. 여기서 혼동하지 말아야 할 점은 기장의무 판정은 전기 수입금액을 기준으로 하나, 성실신고확인 대상의 판정은 당기 수입금액을 기준으로 판정한다.

구분	기준수입금액*
	2018~2020년
[가] 농업, 임업 및 어업, 광업, 도매 및 소매업(상품중개업은 제외), 부동산매매업, 그 밖에 아래 [나], [다]에 해당하지 않는 사업	15억 원
[나] 제조업, 숙박 및 음식점업, 공기조절 공급업, 수도·하수·폐기물처리·원료 재생업, 건설업(비주거용 건물 건설업은 제외하고, 주거용 건물 개발 및 공급업을 포함한다), 운수업 및 창고업, 정보통신업, 금융 및 보험업, 상품중개업	7.5억 원
[다] 부동산임대업, 부동산업(부동산매매업은 제외), 전문·과학 및 기술 서비스업, 사업시설관리·사업지원 및 임대서비스업, 교육 서비스업, 보건업 및 사회복지 서비스업, 예술·스포츠 및 여가관련 서비스업, 협회 및 단체, 수리 및 기타 개인 서비스업, 가구 내 고용활동	5억 원**

* 위 [가]~[다]의 업종을 겸영하거나 사업장이 둘 이상인 경우에는 간편장부대상자에 관한 규정을 준용하여 계산한 수입금액에 따른다.

** [가] 또는 [나]에 해당하는 업종을 영위하는 사업자 중 현금영수증 의무발행업종(별표 3의3)에 따른 사업서비스업(예를 들면 변호사업, 회계사업, 통관업 등)을 영위하는 사업자의 경우에는 위 구분에 따른 기준수입금액에 불구하고 위 [다]의 기준수입금액 5억 원 이상인 사업자로 한다.

(2) 성실신고확인서 절차

성실신고확인대상사업자는 세무사 등을 선임하고 종합소득세 과세표준 확정신고를 할 때 제출서류에 장부와 증명서류에 의해 계산된 사업소득금액의 적정성을 세무사 등이 확인하고 작성한 성실신고확인서를 관할 세무서장에게 제출하여야 하며, 제출하는 경우 확정신고 기한은 5월 1일부터 6월 30일까지이다.

(3) 성실신고확인서 관련 혜택과 불이익

① 의료비·교육비·월세 세액공제: 원칙적으로 근로소득자에 한해 의료비·교육비·월세 세액공제가 가능하나, 성실신고확인대상자가 성실신고확인서를 제출한 경우 의료비·교육비·월세 세액공제를 받을 수 있다.

② 성실신고확인비용에 대한 세액공제: 성실신고확인대상자가 성실신고확인서를 제출하는 경우, 성실신고확인에 직접 사용한 비용의 60%를 120만 원 한도 내에서 세액공제를 받을 수 있다.

③ 성실신고확인서 제출불성실가산세: 성실신고확인대상자가 성실신고확인서를 제출하지 않으면, 미확인 사업소득금액이 종합소득금액에서 차지하는 비율을 종합소득 산출세액에 곱하여 계산한 금액의 5%를 가산세로 납부하여야 한다.

성실신고확인서 제출불성실가산세 = 종합소득 산출세액 × (사업소득금액/종합소득금액) × 5%

④ 수시선정 세무조사: 세무공무원은 정기선정에 의한 조사 외에 확인대상자가 성실신고확인서 제출의무를 이행하지 않으면 세무조사를 할 수 있다.

다단계판매원의 경우 당기에 다단계판매회사에서 받은 후원수당이 5억 원 이상인 경우에는 성실신고확인대상자에 해당한다. 그러므로 성실신고확인대상자라면 세무사가 확인하고 작성한 성실신고확인서를 세무서에 제출해야 의료비·교육비·월세 세액공제 및 성실신고확인비용에 대한 세액공제를 받을 수 있다.

27. 소득세법상 가산세

"제2장 조세총괄 편"에서 가산세를 정의하였는데, 다시 한번 복습을 해 보자. "가산세"란 세법에서 정한 의무를 성실히 이행하도록 하기 위해서 의무를 불이행한 경우에 세무상 불이익을 주는 제재로서, 그 세법에 따라 계산한 산출할 세액에 더하여 징수하는 금액을 말한다. 즉, 납세자는 세법에서 정한 의무를 다하지 않아 원래 내야 할 세금에 가산세를 더하여 세금을 내는 것이다.

가산세는 국세기본법과 각 개별세법(소득세법, 법인세법, 부가가치세법 등)에 의무불이행에 따른 가산세를 부과할 수 있는 근거를 두고 있으며, 본세(원래 내야 할 세금)에 가산세를 포함하여 세금을 내도록 한다.

그렇다면 소득세법에서 개별적으로 열거하고 있는 가산세는 다음과 같지만, 가산세를 적용받는 사업자가 모든 사업자에게 적용하는 가산세가 있는 반면 복식부기의무자에게만 적용되는 것도 있으니, 어디에 속하는지 알고 자기에게 적용될 수 있는 가산세에 주의해야 한다.

(1) 보고불성실가산세

1) 지급명세서 제출불성실가산세(모든 사업자)

① 지급명세서를 제출기한(사업소득은 지급일의 다음 해 3월 10일까지, 기타소득은 지급일의 다음 해 2월 말일까지)까지 제출하지 않거나, 불분명하거나, 사실과 다르게 기재하여 제출한 경우 지급금액, 불분명금액의 1% 가산세

② 제출기한 3개월 이내 제출시 0.5% 가산세

〈기한까지 제출하지 아니한 경우〉
미제출분 지급금액×1%(제출기한이 지난 후 3개월 이내에 제출하는 경우 0.5%)
〈불분명한 경우이거나 제출된 지급명세서에 기재된 지급금액이 사실과 다른 경우〉
불분명, 사실과 다른 지급금액×1%

2) 매출·매입계산서 관련 가산세

종전에는 복식부기의무자만이 해당 가산세 대상이었으나, 사실과 다른 계산서 거래에 대한 제재 강화를 통해 거래질서를 확립하고자 다음과 같이 가산세 부과 대상을 확대하였다(2021. 1. 1. 이후 재화나 용역을 공급하는 분부터 적용).

복식부기의무자 등*이 다음에 해당하는 경우에는 가산세를 결정세액에 대하여 납부하여야 한다.
* 복식부기의무자, 실거래 없이 사실과 다른 계산서를 발급·수취한 비사업자 및 간편장부 대상자

다만, 간편장부 대상자 중 다음에 해당하는 경우에는 제외한다.
- 신규사업자
- 직전 과세기간 사업소득 4,800만 원 미달자
- 보험 모집인, 방문판매원, 음료품 배달 판매원

① 계산서합계표 관련 불성실가산세

다음연도 2월 10일까지 매출·매입처별 계산서합계표 미제출시 공급가액의 0.5%, 매출·매입처별 계산서합계표의 기재내용이 불분명하거나 사실과 다른 경우 공급가액의 0.5%(다만, 제출기한 경과 후 1개월 이내 제출시 공급가액의 0.3%)

② 계산서 관련 불성실가산세

계산서를 과세기간 말의 다음 달 25일까지 발급하지 않거나 사실과 달리 허위로 매출계산서를 발급하거나 발급받은 경우는 공급가액의 2%(계산서를 발급시기 이후부터 과세기간 말의 다음 달 25일까지 발급한 경우는 지연발급으로 공급가액의 1%)

③ 계산서발급 관련 불성실가산세

발급한 계산서에 필요적 기재사항의 전부 또는 일부가 기재되지 아니하거나 사실과 다르게 기재된 경우(② 제외)

공급가액×1%

④ 전자계산서 지연전송 관련 불성실가산세

전자계산서 발급명세서 전송기한이 지난 후 재화 또는 용역의 공급시기가 속하는 과세기간의 다음 달 25일까지 전자계산서 발급명세를 전송하는 경우(② 제외)

공급가액×0.3%(다음 달 25일까지 전송하지 않은 경우 0.5%)

3) 매입처별 세금계산서합계표 제출불성실가산세(복식부기의무자)

다음연도 2월 10일까지 매입처별 세금계산서합계표를 미제출하거나 불분명한 경우 공급가액의 0.5%

미제출시 제출기한이 지난 후 1개월 이내에 제출하는 경우에는 0.3%

(2) 증빙불비 가산세(소규모, 추계과세자 제외)

소규모 사업자(직전 사업수입금액 4,800만 원 미만자, 신규개업자) 및 추계신고자를 제외한 모든 사업자의 정규증빙(세금계산서, 계산서, 신용카드매출전표, 현금영수증) 미수취금액의 2%

(3) 영수증 수취명세서 제출불성실가산세 (소규모, 추계과세자 제외)

소규모 사업자(직전 사업수입금액 4,800만 원 미만자, 신규개업자) 및 추계신고자를 제외한 모든 사업자가 영수증 수취명세서를 제출하지 아니하거나 제출된 명세서가 불분명한 경우 미제출, 불분명 지급금액의 1%

(4) 무기장(기장불성실) 가산세(소규모, 신규 사업자 제외)

소규모 사업자, 신규 사업자를 제외한 사업자가 간편장부 또는 복식부기에 의한 장부를 갖추어두고 기록하지 아니하였거나, 장부에 기록하여야 할 금액에 미달하게 기록한 경우에 부과한다.

무기장 가산세=산출세액×무(미달)기장 소득금액/종합소득금액×20%

(5) 사업용계좌미사용 가산세(복식부기의무자)

복식부기의무자가 사업용계좌를 신고하지 아니하거나 사용하지 아니한 경우에 부과한다.

① 사업용계좌를 사용하지 아니한 때: 사업용계좌를 사용하지 아니한 금액의 0.2%

② 사업용계좌를 신고하지 아니한 때는 MAX(㉮, ㉯)

㉮ 신고하지 아니한 기간의 수입금액×0.2%×미신고기간/365 (윤년은 366)

㉯ 해당 과세기간의 사업용계좌 사용대상 거래금액×0.2%

(6) 성실신고확인서 미제출 가산세(성실신고확인대상자)

성실신고확인대상 사업자가 다음연도 6월 30일까지 성실신고확인서를 제출하지 아니한 경우에 부과한다.

$$\text{종합소득 산출세액} \times \frac{\text{사업소득금액}}{\text{종합소득금액}} \times 5\%$$

성실신고확인제도는 해당 과세기간 업종별로 일정 기준수입금액 이상인 개인 사업자가 종합소득세를 신고할 때 장부기장 내용의 정확성 여부를 세무사 등에게 확인받은 후 신고하게 함으로써, 개인사업자의 성실한 신고를 유도하기 위해 2011년 과세기간의 소득분에 대한 종합소득세 신고분부터 적용하였다.

2019년 귀속 종합소득세 과세표준 확정신고시 적용되는 다단계판매원의 후원수당에 대한 기준수입금액은 직전연도가 아닌 당해연도 수입금액 5억 원 이상이다.

(7) 공동사업장등록 불성실가산세

공동사업장에 관한 사업자등록 및 신고가 불성실한 경우에 부과한다.

① 공동사업자 미등록, 허위 공동사업자로 등록한 때: 미등록하거나 허위등록에 해당하는 각 과세기간의 총수입금액의 0.5%

② 공동사업자의 신고의무 불이행 등: 신고하지 않거나 허위 신고에 해당하는 각 과세기간의 총수입금액의 0.1%

(8) 원천징수납부 불성실가산세(모든 사업자)

원천징수의무자가 징수할 세액을 기한 내에 납부하지 아니하였거나 미달하게 납부한 경우에 부과한다.

원천징수납부 불성실가산세 = ① + ② (단, 미(과소)납부금액의 10% 한도) ① 미(과소)납부금액에 미납기간 1일당 10만분의 25를 곱한 금액 ② 미(과소)납부금액의 3%

28. 소득세 분납제도

납부할 세금이 1,000만 원을 초과하는 경우에는 세액의 일부를 나누어 낼 수 있는데, 이를 '분할납부'라고 한다. 세법에서는 납부할 세액이 1,000만 원을 초과하는 경우 분할납부를 허용하고 있다. 예를 들면 종합소득세, 양도소득세, 상속세, 증여세 등 납세자와 담세자가 같은 직접세에 한하여 분할납부를 허용하고, 부가가치세, 개별소비세와 같은 간접세는 납세자와 담세자가 다르므로 분할납부를 허용하지 않고 있다고 이해하면 세법을 보다 넓게 이해하는데 도움이 될 것이다.

5월에 신고하고 납부할 종합소득세가 1,000만 원을 초과하는 경우, 분할납부할 수 있는 기간은 납부기한으로부터 2개월 이내이다. 즉, 5월 말일과 7월 말일에 한 번씩 두 번에 걸쳐 분할납부할 수 있다. 그리고 분할납부세액은 납부할 세액이 2,000만 원 이하인 때에는 1,000만 원은 5월 말에 내고 나머지 1,000만 원을 초과하는 금액은 7월 말에 내면 된다.

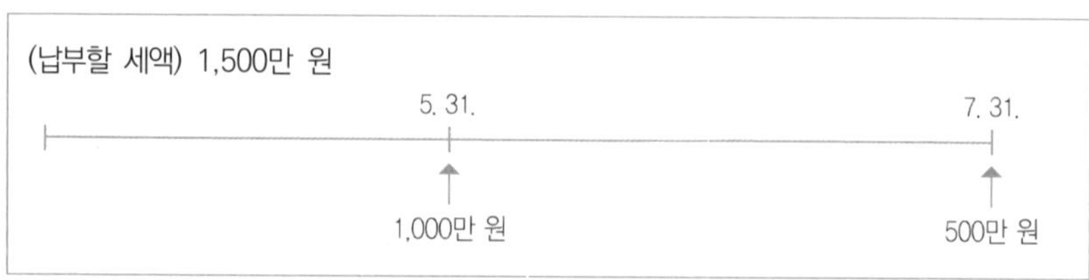

반면 납부할 세액이 2,000만 원을 초과하는 때에는 납부세액의 50% 이내의 금액을 7월 말에 납부하면 된다. 납부할 세액이 2,000만 원을 초과하는 경우에는 50%씩 나누어 내는 것이 일반적이다.

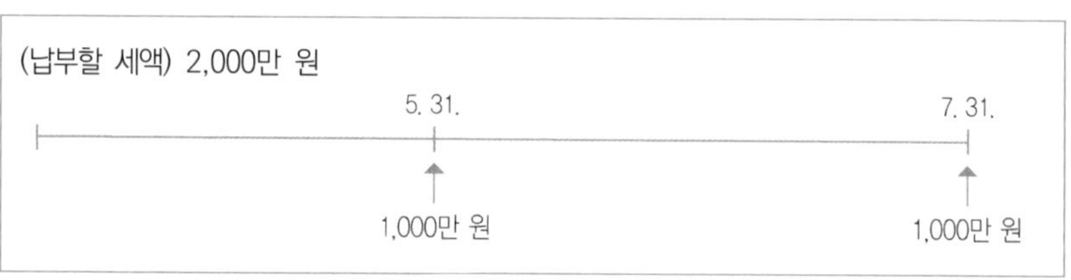

그러면 납세자 마음대로 납부할 세액이 1,000만 원을 초과한다고 분할해서 내면 되는가? 확정신고 납부세액의 경우에는 종합소득세 신고서에 분할납부할 세액으로 구분하여 기재하면 된다.

분할납부를 신청한 경우에는 신고기한 내에 납부할 세액을 납부하지 아니하거나 일부만을 납부한 경우에도 납부기한이 지나지 않은 분할납부세액에 대해서는 가산세가 부과되지 않으므로, 이를 잘 활용하면 절세를 할 수 있다.

29. 부부공동사업자로 공동사업 시 혜택

소득세는 개인별로 과세하는 것이 원칙이다. 왜냐하면 소득의 귀속을 달리하여 가족 사이의 소득이전을 통해 세부담을 낮출 수도 있기 때문이다. 소득세는 누진세율이 적용되므로 소득이 적은 자에게 소득이전이 가능하다면, 가족을 합하여 본다면 세부담을 줄일 수 있는 까닭이다. 그래서 소득세의 과세단위는 원칙적으로 개인별로 한다.

그런데 사업을 하다보면 자본금이 없어 여러 명이 자본금을 출자하여 사업을 하는 경우가 발생한다. 이러한 경우에는 그 사업장에서 발생한 소득금액을 각자의 손익분배비율대로 나누어서 각자의 소득금액을 계산하여 소득세를 낸다.

가령 갑, 을 두 명이 공동으로 출자(손익분배비율은 각각 50%)해 사업을 하여 공동사업장의 소득금액이 1억 원이라면 갑의 소득금액은 5천만 원(1억 원×50%), 을의 소득금액도 5천만 원이 된다. 이에 대한 소득세는 갑, 을이 각각 계산하여 납부하게 되고, 갑이 소득세를 납부하지 못했더라도 을이 갑의 소득세에 대하여 책임지는 일은 없다. 다만, 공동사업장에서 납부할 부가가치세가 있다면 이는 갑과 을이 연대하여 납부할 의무를 진다.

현행 방문판매법상 다단계판매원은 다단계판매원 지위의 양도·양수행위를 금지하고 있어 부부 공동다단계판매원은 부부 중 1인을 후원수당 받을 자로 지정하여 후원수당을 받고 있다.

다만, 부부가 공동으로 실제 사업을 하는 경우 세법은 부부 공동사업자로 등록하여 사업소득금액을 정해진 손익분배비율에 따라 분배하도록 규정하고 있다. 공동사업자 중에 특수관계인(배우자와 직계존비속, 직계존비속의 배우자 및 형제자매와 그 배우자)이 포함되어 있는 경우에도 원칙적으로 손익분배비율에 따라 개별과세한다.

다만, 명의분산 등을 통해 조세회피를 목적으로 공동사업을 운영하는 경우에는 주된 공동사업자의 소득으로 보아 합산과세하기 때문에, 실제로 공동사업을 운영하고 있음을 입증할 수 있어야 할 것이다.

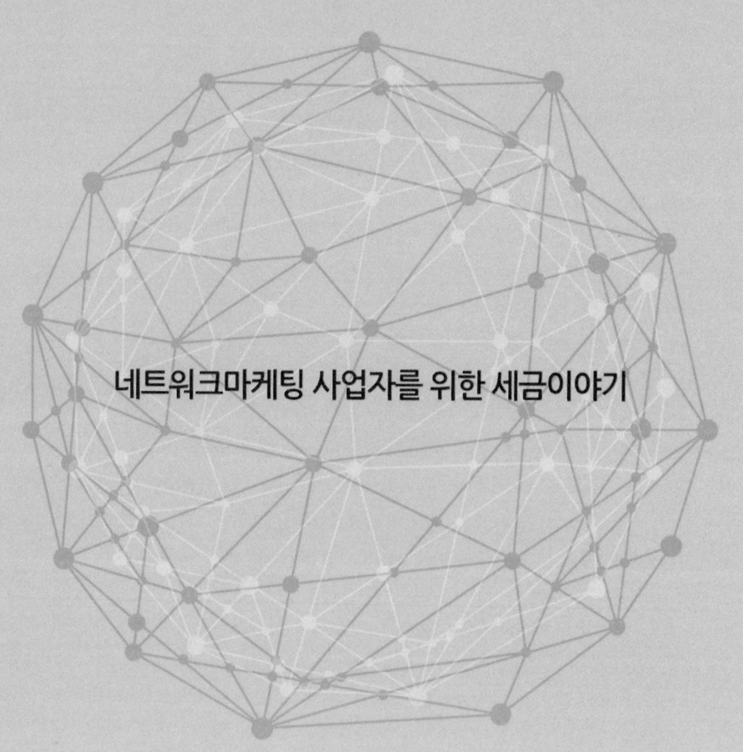

제4장 간편장부 작성

1. 간편장부에 의한 종합소득세 신고서 작성 순서

2. 간편장부 작성 사례

3. 총수입금액 및 필요경비명세서 작성 요령

4. 간편장부 소득금액계산서 작성 사례

1. 간편장부에 의한 종합소득세 신고서 작성 순서

01	간편장부 기장	매일 매일의 수입과 비용을 간편장부 작성 요령에 의해 기록한다.
02	총수입금액 및 필요경비명세서 작성	간편장부에 기록한 수입과 비용을 「총수입금액 및 필요경비명세서」의 '장부상 수입금액'과 '필요경비' 항목에 작성한다.
03	간편장부 소득금액 계산서 작성	총수입금액 및 필요경비명세서에 의해 계산된 수입금액과 필요경비를 세무조정 후 당해연도 소득금액을 계산한다.
04	종합소득세 신고서 작성	간편장부 소득금액계산서에 의한 당해연도 소득금액을 종합소득세 신고서 '❼부동산임대소득 · 사업소득명세서'의 해당항목에 기재한다.

2. 간편장부 작성 사례

서울시 강남구 논현동 ○○번지에 거주하며, A회사의 다단계판매원으로 활동하는 김절세의 간편장부 작성 사례이다.

1) 간편장부 양식(예시)

① 일자	②거래내용	③거래처	④수입		⑤비용		⑥고정자산증감		⑦비고
			금액	부가세	금액	부가세	금액	부가세	
1.2.	다단계 후원수당	A회사	4,250,000						사업소득 원천징수 영수증
1.2.	자동차 구입	H자동차					40,000,000	4,000,000	세계
1.8.	물품구입	A회사			250,000	25,000			카드
1.18.	유류비	S주유소			63,636	6,364			카드
1.18.	통행료	경부고속 도로			12,000				카드
1.25.	휴대전화 요금	SK텔레콤			102,000				영
1.31.	기부금	논현성당			100,000				영

2) 일반적 기재요령

① 일자: 거래일자 순으로 수입 및 비용을 모두 기재한다.

② 거래내용: 수입·비용 거래내역(품명·수량·단가 등)을 요약·기록한다.

- 1일 평균 매출건수가 50건 이상인 경우 1일 동안의 총매출 금액을 합계하여 기재할 수 있다(다만, 계산서·영수증 등 발행원본은 보관한다).
- 비용 및 매입거래는 거래 건별로 모두 기재한다.

③ 거래처: 상호·성명 등 거래처 구분이 가능하도록 기재한다.

④ 수입

상품·용역의 공급 등 관련된 사업상의 수입(매출)·영업외수입을 기재

- 일반과세자는 매출액을 상품(또는 서비스)가격과 그 10%의 부가가치세로 구분하여 각각 '금액'란 및 '부가세'란에 기재한다.

※ 신용카드로 매출한 경우 신용카드매출전표발행금액을 1.1로 나눈 금액을 '금액'란에 기재하고, 그 잔액을 '부가세'란에 기재한다.

- 간이과세자 또는 면세사업자는 부가가치세를 포함한 전체금액(공급대가)을 '금액'란에 기재한다.

⑤ 비용(원가관련 매입 포함)

상품 매입액, 일반관리비·판매비 등 사업관련 비용을 기재

• 세금계산서를 받은 경우에는 세금계산서의 공급가액과 그 10%의 부가가치세를 구분하여 각각 '금액'란 및 '부가세'란에 기재한다.

> ※ 세금계산서상의 공급가액과 부가가치세를 구분기재 하여야만 부가가치세 신고시 공제받을 매입세액을 계산할 수 있다.

• 계산서·영수증 수취 및 신용카드 매입분은 금액란에만 기재한다.

> ※ 신용카드매출전표로 부가가치세 매입세액 공제를 받는 경우에는 공급가액과 그 10%의 부가가치세를 구분하여 각각 '금액'란과 '부가세'란에 기재한다.

⑥ 고정자산 증감(매매)

건물·자동차·컴퓨터 등 고정자산의 매입액 및 부대비용과 자본적지출을 기재

> ※ 고정자산을 매각(또는 폐기 등)하는 경우에는 당해 자산을 붉은색으로 기재하거나 금액 앞에 △ 표시를 한다.

• 세금계산서를 받은 경우에는 세금계산서의 공급가액과 그 10%의 부가가치세를 구분하여 각각 '금액'란 및 '부가세'란에 기재한다.

• 계산서·영수증 수취 및 신용카드 매입분은 금액란에만 기재한다.

> ※ 신용카드매출전표로 부가가치세 매입세액 공제를 받는 경우에는 공급가액과 그 10%의 부가가치세를 구분하여 각각 '금액'란과 '부가세'란에 기재한다.

⑦ 비고

세금계산서·계산서·영수증 및 신용카드 거래분에 대하여 거래증빙 유형을 명확하게 기재한다.

- 세금계산서는 ‘세계’로, 계산서는 ‘계’로, 신용카드나 현금영수증은 ‘카드등’으로, 영수증은 ‘영’으로 간략하게 표시할 수 있다.

간편장부 작성 사례

(부가가치세 일반사업자 다단계판매원)

① 날짜	② 거래내용	③ 거래처	④수입		⑤비용		⑥고정자산 증감		⑦비고
			금액	부가세	금액	부가세	금액	부가세	
1.2.	다단계 후원수당	A회사	4,250,000	425,000					세계
1.2.	자동차	H자동차					40,000,000	4,000,000	세계
1.4.	접대비	스타벅스			20,000	2,000			카드
1.8.	물품구입	A회사			136,364	13,636			카드
1.11.	컴퓨터	삼성전자 대리점					2,000,000	200,000	카드
1.12.	소모품비	모닝 글로리			10,000				현금 영수증
1.13.	주차위반 범칙금	강남구청			70,000				영
1.18.	유류비	S주유소			63,636	6,364			카드
1.18.	통행료	경부고속 도로			12,000				카드
1.25.	휴대전화 요금	SK 텔레콤			102,000				영
1.29.	유류비	S주유소			63,636	6,364			카드
1.29.	통행료	중부고속 도로			5,800				카드
1.31.	기부금	논현성당			100,000				영
1월계			4,250,000	425,000	584,436	28,364	42,000,000	4,200,000	
2.2.	다단계 후원수당	A회사	4,850,000	485,000					세계
2.3.	물품구입	A회사			227,273	22,727			세계

간편장부 작성 사례
(부가가치세 일반사업자 외 다단계판매원)

① 날짜	② 거래내용	③ 거래처	④수입		⑤비용		⑥고정자산 증감		⑦비고
			금액	부가세	금액	부가세	금액	부가세	
1.2.	다단계 후원수당	A회사	4,250,000						사업소득 원천징수영수증
1.2.	자동차	H자동차					44,000,000		세계
1.4.	접대비	스타벅스			22,000				카드
1.8.	물품구입	A회사			150,000				카드
1.11.	컴퓨터	삼성전자 대리점					2,200,000		카드
1.12.	소모품비	모닝 글로리			10,000				현금영수증
1.13.	주차위반 범칙금	양천구청			70,000				영
1.18.	유류비	S주유소			70,000				카드
1.18.	통행료	경부고속 도로			12,000				카드
1.25.	휴대전화 요금	SK텔레콤			102,000				영
1.29.	유류비	S주유소			70,000				카드
1.29.	통행료	중부고속 도로			5,800				카드
1.31.	기부금	논현성당			100,000				영
1월계			4,250,000		611,800		46,200,000		
2.2.	다단계 후원수당	A회사	4,850,000						사업소득 원천징수영수증
2.3.	물품구입	A회사			250,000				세계

김절세는 A회사의 다단계판매사원으로 신규 회원 모집 및 자신의 그룹을 관리하는 후원활동을 통하여 A회사에서 매월 후원수당을 받고 있음.

1) 매출거래

- 1월 2일: A회사에서 다단계 후원활동에 대한 용역 제공 대가로 후원수당 4,250,000원이 발생한 경우

Case1 다단계판매원이 일반과세자인 경우, 다단계판매원은 후원수당에 대하여 공급가액 4,250,000원, 부가가치세 425,000원 매출세금계산서 발행

Case2 다단계판매원이 일반과세자가 아닌 간이과세자나 부가가치세 면제받는 경우는 다단계판매회사에서 사업소득 원천징수영수증을 교부받음.

② 거래내용: '다단계후원수당'으로 기재한다.

④ 수입: 후원수당 수입액 4,250,000원 전액을 '금액'란에 기재하고, 부가가치세 일반과세자는 '부가세'란에 425,000원을 기재한다.

〈부가가치세가 면제되는 인적 용역을 제공하는 사업자의 경우〉

- 사업소득원천징수영수증에 의한 '지급총액'(즉, 소득세·주민세 원천징수 전의 총 지급액)을 기재하여야 한다.
- 지급총액 4,250,000원, 소득세(지방소득세 포함) 3.3%를 곱한 140,250원을 원천징수한 후 실수령액 4,109,750원을 받음.

2) 매입 및 비용거래

일반과세자는 비용 및 고정자산 증감란에 부가가치세를 구분하여 각각 '금액'란 및 '부가세'란에 기재하고, 간이과세자 또는 면세사업자는 부가가치세를 포함한 전체금액(공급대가)을 '금액'란에 기재하여도 무방할 것으로 보인다.

아래 일자별 거래는 일반과세자를 기준으로 하여 비용 및 고정자산 매입을 설명한다.

- 1월 4일: 신규 회원에게 필요한 사업설명회 등 정보 및 자료제공을 위해 커피 등을 접대하고 22,000원을 카드 결제함.
  ⑤ 비용: 신용카드매출전표상 금액 20,000원은 '금액'란에 기재하고, 그 10%인 부가가치세 2,000원은 '부가세'란에 기재한다.

- 1월 8일: 신규 회원 및 자신이 속한 그룹의 사업설명회에 필요한 A 회사의 물품을 구입하고 150,000원을 신용카드로 결제함.
  ⑤ 비용: 신용카드매출전표상 금액 136,364원은 '금액'란에 기재하고, 그 10%인 부가가치세 13,636원은 '부가세'란에 기재한다.

> ※ 신용카드를 이용하여 결제한 경우에는 '신용카드매출전표'상의 금액 136,364원과 부가세 13,636원으로 구분 기재된다.
> (즉, 총액을 1.1로 나눈 공급가액과 부가가치세로 구분 기재된다)

- 1월 12일: 다단계사업을 위하여 포장지·펜 등 소모품을 모닝글로리에서 구입하고 10,000원 현금지급하고 현금영수증을 교부받음.
  ⑤ 비용: 현금영수증상 공급가액 10,000원은 '금액'란에 기재한다.

- 1월 13일: 다단계사업 활동과 관련하여 주차위반 사항에 대해 강남구청에서 범칙금 70,000원 부과 금액을 현금으로 납부함.

  ⑤ 비용: 범칙금 납부액 70,000원은 '금액'란에 기재한다.

- 1월 18일: 다단계사업 활동하는데 이용하는 차량에 70,000원을 주유하고 신용카드로 결제하고 신용카드매출전표를 받음.

  ⑤ 비용: 신용카드매출전표상 금액 63,636원은 '금액'란에 기재하고, 그 10%인 부가가치세 6,364원은 '부가세'란에 기재한다.

- 1월 18일: 다단계사업 설명회를 위해 여비교통비로 고속도로통행료 12,000원을 현금으로 지급함.

  ⑤ 비용: 통행료 12,000원은 '금액'란에 기재한다.

- 1월 25일: 휴대전화 사용료로 총 102,000원을 자동이체로 납부함.

  ⑤ 비용: 휴대전화 사용료 102,000원은 '금액'란에 기재한다.

※ 부가가치세가 면제되는 인적 용역 사업자의 경우에는 주민등록번호를 이용하여 사업소득 원천징수 등을 하므로 부가가치세가 구분 기재되는 지로영수증 등을 이용하여 납부하는 경우에도 통신요금 전액을 '금액'에 기재한다.

- 1월 29일: 다단계사업 활동하는데 이용하는 차량에 70,000원을 주유하고 신용카드로 결제하고 신용카드매출전표를 받음.

  ⑤ 비용: 신용카드매출전표상 금액 63,636원은 '금액'란에 기재하고, 그 10%인 부가가치세 6,364원은 '부가세'란에 기재한다.

- 1월 29일: 다단계사업 설명회를 위해 여비교통비로 고속도로통행료 5,800원을 현금으로 지급함.

  ⑤ 비용: 통행료 5,800원은 '금액'란에 기재한다.

- 1월 31일: 논현성당에 현금 100,000원을 교무금으로 기부함.

  ⑤ 비용: 기부금 100,000원은 '금액'란에 기재한다.

3) 고정자산 증감

- 1월 2일: 다단계 후원활동을 하는데 필요한 승용자동차를 현금 44,000,000원에 구입하고 세금계산서를 H자동차에서 교부받음.

  ⑥ 고정자산증감: 세금계산서상 공급가액인 40,000,000원은 '금액'란에 기재하고, 공급가액의 10%인 4,000,000원은 '부가세'란에 기재한다.

- 1월 11일: 다단계 후원활동을 하는데 필요한 휴대용 노트북 2,200,000원을 신용카드로 결제하고 신용카드매출전표를 받음.

  ⑥ 고정자산증감: 신용카드매출전표상 공급가액인 2,000,000원은 '금액'란에 기재하고, 공급가액의 10%인 200,000원은 '부가세'란에 기재한다.

3. 총수입금액 및 필요경비명세서 작성 요령

다단계판매원 김절세의 간편장부 기장[1]에 의한 총수입금액 및 필요경비명세서 작성 사례이다.

1 간편장부를 기장하고 종합소득세 신고를 하기 위하여 「총수입금액 및 필요경비명세서」를 작성하는 과정에서 어려운 점 또는 궁금한 사항이 있는 경우에는 가까운 세무대리인에게 비용을 지불하고 작성을 의뢰할 수 있다.

총수입금액 및 필요경비명세서(2019년 귀속)

①주소지	서울 강남구 논현동 ○○		②전화번호	02 - 397 - 1200
③성 명	김 절 세	④주민등록번호	7 5 1 1 0 5 - 2 3 4 5 6 7 8	

사업장			⑤ 소 재 지	강남 논현 ○○			
			⑥ 업 종	다단계판매원			
			⑦ 주 업 종 코 드	940910			
			⑧ 사업자등록번호				
			⑨ 소 득 종 류	(30, ㊵, 90)	(30, 40, 90)	(30, 40, 90)	(30, 40, 90)
장부상 수입금액			⑩ 매 출 액	50,000,000			
			⑪ 기 타				
			⑫수입금액합계(⑩+⑪)	50,000,000			
필요경비	매출원가		⑬기초재고액				
			⑭당기상품매입액 또는 제조비용(㉓)				
			⑮기말재고액				
			⑯매출원가(⑬+⑭-⑮)				
	제조비용	재료비	⑰기초재고액				
			⑱당기매입액				
			⑲기말재고액				
			⑳당기재료비 (⑰+⑱-⑲)				
			㉑ 노 무 비				
			㉒ 경 비				
			㉓ 당기제조비용(⑳+㉑+㉒)				
	일반관리비등		㉔ 급 료				
			㉕ 제 세 공 과 금	1,224,000			
			㉖ 임 차 료				
			㉗ 지 급 이 자				
			㉘ 접 대 비	8,000,000			
			㉙ 기 부 금	1,200,000			
			㉚ 기 타	17,500,000			
			㉛일반관리비등 계 (㉔+㉕+㉖+㉗+㉘+㉙+㉚)	27,924,000			
			㉜ 필요경비 합계(⑯+㉛)	27,924,000			

※ 기타: 유류비, 광고선전비, 소모품비, 여비교통비 등 합계

총수입금액 및 필요경비명세서 작성 요령

1) 기본사항

- ⑨ 소득종류: 해당되는 소득의 코드에 ○표(40)를 한다. (부동산임대 사업소득: 30, 부동산임대 외의 사업소득: 40)

2) 장부상 수입금액

- ⑩ 매출액: 2019. 1. 1.~2019. 12. 31. 기간 동안 간편장부상 「④ 수입」란 '금액'의 합계액 50,000,000원을 기재한다.

3) 일반관리비 등

※ 부가가치세가 면제되는 인적 용역 사업자는 부가가치세 매입세액 공제가 없으므로, 필요경비를 계산할 때 부가가치세가 포함된 공급대가(즉, 매입액 전액)로 계산한다.

- ㉕ 제세공과금: 2019년 기간 동안 간편장부상 「⑤비용」란 '금액' 중 제세공과금에 해당하는 휴대전화요금을 총액으로 기재한다.

※ '제세공과금'에는 사업장과 관련된 각종 세금 및 수도·전기요금 등 공공요금이 포함된다.

- ㉖ 임차료: 해당없음.

> ※ 다단계판매 후원활동 시 사업장을 임차한 경우 임차료를 기재한다.

- ㉘ 접대비: 2019년 기간 동안 간편장부상 「⑤비용」란 '금액' 중 접대비에 해당하는 금액의 합계를 기재한다.
- ㉙ 기부금: 2019년 기간 동안 간편장부상 「⑤비용」란 '금액' 중 기부금에 해당하는 금액의 합계를 기재한다.
- ㉚ 기타: 2019년 기간 동안 간편장부상 「⑤비용」란 '금액' 중 유류비, 소모품비, 여비교통비 등의 합계액을 기재한다.

> ※ 간편장부상 「⑤비용」란 '금액'의 업무 관련 비용 중에서 총수입금액 및 필요경비명세서의 ㉔~㉙를 제외한 비용의 합계를 기재한다.

4) 필요경비 합계

- ㉜ 필요경비 합계: 총수입금액 및 필요경비명세서의 '⑯매출원가' 및 '㉛일반관리비등 계'의 합계액 27,924,000원을 기재한다.

4. 간편장부 소득금액계산서 작성 사례

다단계판매원 김절세의 총수입금액 및 필요경비명세서 작성에 의한 간편장부 소득금액계산서[1] 작성 사례이다.

1 간편장부를 기장하고 종합소득세 신고를 하기 위하여 「간편장부 소득금액계산서」를 작성하는 과정에서 어려운 점 또는 궁금한 사항이 있는 경우에는 가까운 세무대리인에게 저렴한 비용으로 작성을 의뢰할 수 있다.

간편장부 소득금액계산서(2019년 귀속)

①주소지	서울 강남구 논현동 ○○	②전화번호	02 - 123 - 4567
③성명	김 절 세	④주민등록번호	7 5 1 1 0 5 - 2 3 4 5 6 7 8

사업장	⑤ 소재지	강남구 논현			
	⑥ 업종	다단계판매원			
	⑦ 주업종 코드	940910			
	⑧ 사업자등록번호				
	⑨ 소득 종류	(30, 40, 90)	(30, 40, 90)	(30, 40, 90)	(30, 40, 90)
총수입금액	⑩ 장부상 수입금액 (부표 ⑫의 금액)	50,000,000			
	⑪ 수입금액에서 제외할 금액				
	⑫ 수입금액에 가산할 금액				
	⑬ 세무조정 후 수입금액 (⑩-⑪+⑫)	50,000,000			
필요경비	⑭ 장부상 필요경비 (부표 ㉜의 금액)	27,924,000			
	⑮ 필요경비에서 제외할 금액	70,000			
	⑯ 필요경비에 가산할 금액	9,240,000			
	⑰ 세무조정 후 필요경비 (⑭-⑮+⑯)	37,094,000			
⑱ 차가감 소득금액(⑬-⑰)		12,906,000			
⑲ 기부금 한도초과액					
⑳ 기부금이월액 중 필요경비산입액					
㉑ 당해연도 소득금액 (⑱+⑲-⑳)		12,906,000			

소득세법 제70조 제4항 제3호 단서 및 동법 시행령 제132조의 규정에 의하여
간편장부소득금액 계산서를 제출합니다.

2020년 5월 31일

제 출 인 김절세 (서명 또는 인)

세무대리인 (서명 또는 인)

(관리번호 -)

강남 세무서장 귀하

※ 구비서류: 별지 제82호 서식 부표 「총수입금액 및 필요경비명세서」 1부

간편장부 소득금액계산서 작성 요령

1) 기본사항

- ⑨ 소득종류: 해당되는 소득의 코드에 ○표를 한다.
  (부동산임대 사업소득: 30, 부동산임대 외의 사업소득: 40)

2) 총수입금액

- ⑩ 장부상 수입금액: 총수입금액 및 필요경비명세서의 '⑫수입금액합계'란 금액 50,000,000원을 기재한다.
- ⑪ 수입금액에서 제외할 금액: 해당없음.

※ 예시: 소득세·주민세 환급액, 고정자산(건물등) 매각금액 등

- ⑫ 수입금액에 가산할 금액: 해당없음.

※ 예시: 신용카드발행세액공제액, 사업관련 채무면제이익 등

- ⑬ 세무조정 후 수입금액: 50,000,000원(⑩－⑪＋⑫)

3) 필요경비

- ⑭ 장부상 필요경비: 총수입금액 및 필요경비명세서상의 ㉜번 항목금액 27,924,000원을 기재한다.

- ⑮ 필요경비에서 제외할 금액: 주차위반범칙금 70,000원을 기재한다.

> ※ 예시: 소득세·주민세, 벌금·과태료 등, 건당 1만 원 초과 접대비 중 세금계산서·계산서·신용카드매출전표 등 미수취분 접대비

- ⑯ 필요경비에 가산한 금액: 사업용 고정자산 감가상각비 9,240,000원을 기재한다.

  예 고정자산매입 자동차 44,000,000원과 휴대용 컴퓨터 2,200,000원과의 합계 46,200,000원을 5로 나눈 금액(정액법)으로 한다.

> ※ 예시: 사업용 고정자산의 감가상각비 등

- ⑰ 세무조정 후 필요경비: 37,094,000원(⑭－⑮＋⑯)

4) 차가감 소득금액

- ⑱ 차가감 소득금액: 12,906,000원(⑬－⑰)

5) 기부금 한도초과액

- ⑲ 기부금 한도: (12,906,0000원＋1,200,000)×10%＝1,410,600원
- 기부금 1,200,000원은 기부금 한도를 초과하지 않으므로 전액 비용 인정

6) 기타

- ㉑ 당해연도 소득금액: 12,906,000원(⑱＋⑲－⑳)

네트워크마케팅 사업자를 위한 세금이야기

제5장 부가가치세 편

1. 다단계판매업과 부가가치세와의 관계
2. 부가가치와 부가가치세의 정의
3. 우리나라 부가가치세의 특징
4. 부가가치세법상 사업자의 정의
5. 부가가치세 과세대상 거래
6. 다단계판매원(사업자형회원)의 사업자등록 신청
7. 사업자등록 시 과세유형 선택
8. 사업자등록 시 확정일자 신청
9. 사업자등록을 하지 않으면 받는 세무상 불이익
10. 과세기간과 납세지
11. 부가가치세의 세금 구조
12. 부가가치세 과세표준(다단계판매원이 받은 후원수당의 합계)
13. 세금계산서의 중요성과 발행
14. 전자세금계산서 발급 의무화
15. 세금계산서의 교부(발행)시기
16. 매출세금계산서 발행 방법(정상적 발급, 매입자중심 발급) 및 유의사항
17. 세금계산서를 잘 챙기는 것이 절세의 지름길!
18. 다단계판매원이 받을 수 있는 세금계산서 등
19. 부가가치세 매입세액이 공제되지 않는 항목
20. 부가가치세법상 가산세
21. 사실과 다른 세금계산서(=거짓세금계산서)를 받을 때 불이익
22. 다단계사업을 그만둘 때 신고 마무리(폐업신고)
23. 부가가치세 수정신고, 경정청구
24. 주요 관련 사례

1. 다단계판매업과 부가가치세와의 관계

부가가치세법에서는 다단계판매원이 다단계판매회사에 후원활동이라는 용역을 제공하고 받는 후원수당을 인적 용역으로 규정하면서, 판매원이 물적 시설 없이 종업원을 고용하지 않고 독립된 자격으로 용역을 공급하고 그 대가를 받으면 부가가치세를 면제하고 있다.

부가가치세 면제 대상 인적 용역=독립된 자격으로 용역제공

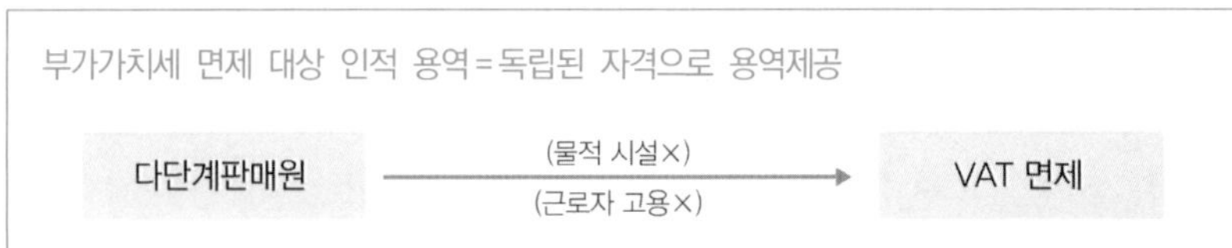

- 부가가치세 면세는 특정한 재화 또는 용역의 공급과 재화의 수입에 대하여 부가가치세 부담을 면제
- 면세되는 재화·용역을 공급하고 사업자와 재화의 수입자는 해당 거래에 대한 부가가치세 납세의무가 없으므로 과세표준 및 세액의 신고·납부, 사업자 등록, 세금계산서 발급 등의 의무 배제됨.

다단계판매원의 후원수당이 왜 부가가치세가 과세되지 않는지에 대하여 부가가치세법에서 그 근거규정을 찾아본다면 궁금증이 해소될 것이다. 세법을 전문적으로 공부하지 않았다면 세법을 읽고 해석

한다는 것이 쉬운 일은 아니지만, 다음과 같이 세법을 따라가면서 읽고 해석한다면 쉽게 이해할 것이다.

먼저 부가가치세법 제26조는 인적 용역에 대해서는 부가가치세를 면세한다고 규정하고 있다. 그러면 면세하는 인적 용역은 무엇이라고 정의하고 있는가? 같은 법 시행령 제42조는 저술가 등이 직업상 제공하는 인적 용역으로 독립된 사업에 대해 면세하는 것으로 정의한다. 다만, 면세하는 인적 용역에 대한 조건을 이야기하면서 같은 법 제42조 제1호에서는 개인이 물적 시설 없이 근로자를 고용하지 않고 독립된 자격으로 용역을 제공하고 대가를 받는 인적 용역에 대해서만 부가가치세를 면세한다고 한다. 그리고 이 두 가지 조건인 물적 시설 없이 근로자를 고용하지 않고 독립된 자격으로 활동하는 인적 용역으로 같은 법 제42조 제1호 사목은 보험설계사, 음료품배달원, 학습지방문판매원, 화장품외판원, 정수기방문판매원, 서적외판원, 다단계판매원을 예로 들고 있다.

부가가치세법 제26조	부가가치세법 시행령 제42조
제26조(재화 또는 용역의 공급에 대한 면세) ① 다음 각 호의 재화 또는 용역의 공급에 대하여는 부가가치세를 면제한다. 15. 저술가·작곡가나 그 밖의 자가 직업상 제공하는 인적(人的) 용역으로서 대통령령으로 정하는 것	제42조(저술가 등이 직업상 제공하는 인적 용역으로서 면세하는 것의 범위) 법 제26조 제1항 제15호에 따른 인적(人的) 용역은 독립된 사업(여러 개의 사업을 겸영하는 사업자가 과세사업에 필수적으로 부수되지 아니하는 용역을 독립하여 공급하는 경우를 포함한다)으로 공급하는 다음 각 호의 용역으로 한다. 1. 개인이 기획재정부령으로 정하는 물적 시설 없이 근로자를 고용하지 아니하고 독립된 자격으로 용역을 공급하고 대가를 받는 다음 각 목의 인적 용역

부가가치세법 제26조	부가가치세법 시행령 제42조
	사. 보험가입자의 모집, 저축의 장려 또는 집금(集金) 등을 하고 실적에 따라 보험회사 또는 금융기관으로부터 모집수당·장려수당·집금수당 또는 이와 유사한 성질의 대가를 받는 용역과 서적·음반 등의 외판원이 판매실적에 따라 대가를 받는 용역

따라서, 다단계판매원이 부가가치세 면제대상 인적 용역이 되기 위해서는 다단계판매원이 물적 시설 없이 근로자를 고용하지 아니하고 독립된 자격으로 용역을 제공하고 대가를 받아야 한다.

여기서 물적 시설이라 함은 계속적·반복적으로 사업에만 이용되는 건축물, 기계장치 등의 사업 설비(임차한 것 포함)를 말한다. 그리고 조세심판원 판결[1]에 따르면 하부 회원의 제품 판매실적 및 소비 실적이라는 용역을 제공하면서 원활한 용역 제공을 위하여 임차 사무실을 활용하고 있는 경우, 다단계판매원이 임차한 사무실은 다단계판매원의 후원활동 사업이라는 용역 제공에 직접적으로 관련된 물적 시설에 해당한다고 보았다.

따라서, 다단계판매원이 용역을 제공하고 받는 후원수당이 물적 시설 없이 근로자를 고용하지 않았다면 부가가치세법상 아무런 문제가 없겠지만, 다단계판매원의 후원활동 사업을 위한 임차 사무실이나

1 조심2018중3760(2018. 11. 28.) 다단계판매원인 청구인은 임차 사무실이 단순히 사교 및 교육 목적으로 사용되는 부수적 시설에 불과할 뿐 용역 제공을 위한 필수적인 시설이 아니므로 과세관청이 임차 사무실을 물적 시설로 보아 다단계판매원이 받은 후원수당을 부가가치세 과세대상으로 본 것은 타당하지 아니하다고 주장하였으나 기각 결정

근로자를 고용한 경우라면 부가가치세가 과세되어 부가가치세법에서 정한 의무가 발생하게 된다.

그러므로 다단계판매원은 부가가치세에 대해 정확히 알아야 할 필요가 있다. 물론 물적·인적 시설이 없는 부가가치세법상 사업자가 아니어서 나는 부가가치세와 관계가 없다고 생각하고 스킵(Skin)하여도 무방할 것이나, 부가가치세법상 사업자에 해당하거나 다단계판매원의 인적 용역 외의 다른 사업을 한다면 반드시 부가가치세를 이해하는 것이 필요하다. 왜냐하면 부가가치세를 간과하는 순간 예상치 못한 상당히 많은 세금에 부딪힐 수 있기 때문에 반드시 읽기를 권한다.

2. 부가가치와 부가가치세의 정의

소득세법은 내가 번 순소득에 내는 세금이지만, 부가가치세는 내가 제공한 재화나 용역의 공급대가에 10%를 내는 세금이라서 부가가치세법을 모르면 크게 낭패를 볼 수도 있다. 그래서 부가가치세를 정확히 이해하는 것은 대단히 중요하다.

쉽게 말하면, 소득세는 사업을 통해 손해를 봤으면 국가에 낼 세금이 없다. 그러나 부가가치세는 손해와 관계없이 상대방에게 공급한 재화나 용역의 가액이 1천만 원(다른 사람에게서 공급받은 재화나 용역이 없다고 가정)이라면 그에 대한 부가가치세 1백만 원을 국가에 납부해야 한다. 따라서 재화나 용역의 흐름과 그에 대한 대가, 즉 돈의 흐름이 보이면 무조건 부가가치세를 떠올려야 할 것이다.

(1) 부가가치란 무엇인가?

부가가치(Value added)란 재화[1] 또는 용역[2]이 생산되거나 유통되는 과정에서 새로이 창출된 가치를 말한다.

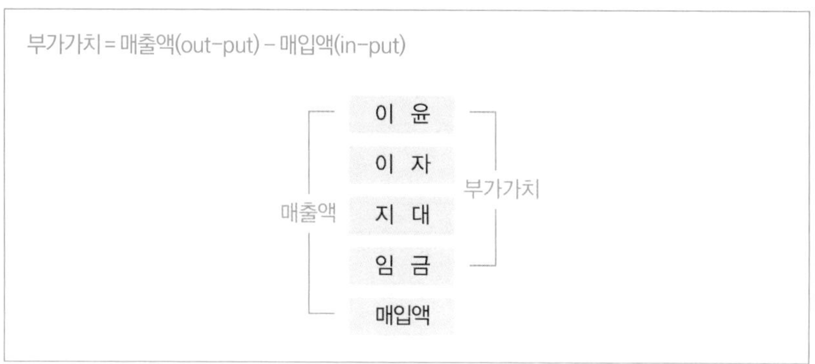

모든 기업은 생산이나 판매 등 기업활동을 통하여 자신이 투입한 것보다(In-put) 더 많은 것(Out-put)을 얻고자 노력하고 있으며, 이러한 영리추구가 시장경제의 원리이기도 하다. 당초 투입한 재화 등의 가치가 더 많은 가치를 얻을 수 있도록 노동력, 생산, 기술이나 노하우를 투입하는 것이 기업활동이다.

아래 그림과 같이 제품을 생산하여 도매업자에게 판매하는 것이 제조업자의 부가가치이고, 제조업자에게서 사온 상품을 임차료, 종업원을 고용하는 등의 요소를 투입하여 소매업자에게 판매하면 판매가

1 재산가치가 있는 물건이나 권리를 말한다.

2 재화 외의 재산가치가 있는 모든 역무 및 그 밖의 행위를 말한다. 즉, 건설업이나 숙박 및 음식점업, 부동산업과 임대업, 그 밖에 부가가치세법 시행령에서 정하는 사업으로 역무를 제공하는 것과 시설물, 권리 등 재화를 사용하게 하는 것을 말한다.

액에서 제조업자로부터 사온 금액의 차이가 도매업자의 부가가치가 되며, 소매업자도 이와 마찬가지이다.

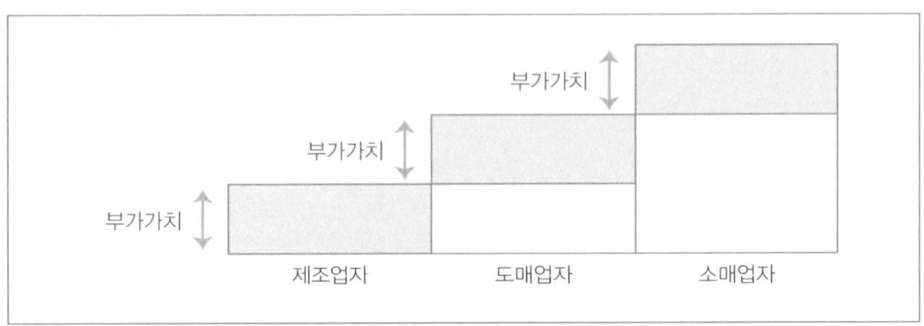

그림 부가가치의 개념

(2) 부가가치세의 계산 방법

부가가치세는 재화나 용역이 생산되거나 유통되는 모든 단계에서 생기는 부가가치에 과세하는 세금으로, 가산법과 전단계거래액공제법과 전단계세액공제법으로 계산한다.

1) 가산법

가산법은 부가가치의 구성요소인 임금, 이자, 지대, 이윤을 합한 금액에 세율을 곱하여 부가가치세를 계산하는 방법인데, 부가가치 구성요소를 사업자별로 파악하는 것이 현실적으로 어려워 과세 행정에 적용하지 않는다.

부가가치세 납부세액 = (임금 + 지대 + 이자 + 이윤 + 감가상각비 – 자본재구입액) × 세율

2) 전단계거래액공제법

전단계거래액공제법은 일정기간 동안의 매출액에서 매입액을 공제한 잔액(부가가치)에 세율을 적용하여 부가가치세를 계산하는 방법이다. 이론상 타당해 보이지만, 매입액을 산출하기 위하여 성실하게 장부가 기록되지 않으면 조세회피가 발생할 가능성이 높다.

부가가치세 납부세액 = (매출액 − 매입액) × 세율

3) 전단계세액공제법

전단계세액공제법은 매출액에 세율을 곱하여 계산한 매출세액에서 매입시 징수당한 매입세액을 공제하여 부가가치를 계산하는 방법이다. 전단계세액공제법을 적용하면 재화나 용역의 공급자는 매출액에 세율을 곱한 매출세액을 공급받는 자로부터 징수(거래징수라 함)하고, 그 거래사실과 내용을 증명하기 위하여 세금계산서(Tax Invoice, T/I)를 발급한다.

각 사업자는 매입 시 교부받은 세금계산서에 의하여 확인되는 매입세액을 매출세액에서 공제하여 부가가치세를 계산하고 국가에 납부하게 된다. 만약, 매출세액보다 매입세액이 큰 경우는 그 차액을 국가로부터 환급받게 된다.

부가가치세 납부세액 = 매출세액(매출액 × 세율) − 매입세액(매입액 × 세율)

유통단계별로 구분하여 예를 들면 농장의 농부(A)가 있고, 밀가루공장(B)이 있고, 빵공장(C)과 소비자가 있다고 가정하자. 농부는 씨앗을 심어 자신의 노동을 투입하여 밀을 농사지어 밀가루공장에 1,000원에 팔고, 밀가루공장은 그 밀을 가지고 밀가루를 만들어 빵공장에 1,500원에 팔고, 빵공장은 밀가루를 이용하여 빵을 만들어 소비자에게 1,800원에 판매한다. 이 경우 농장의 농부가 만든 부가가치는 1,000원이고, 밀가루공장의 부가가치는 500원(1,500원－1,000원)이며, 빵공장의 부가가치는 300원(1,800원－1,500원)이 된다.

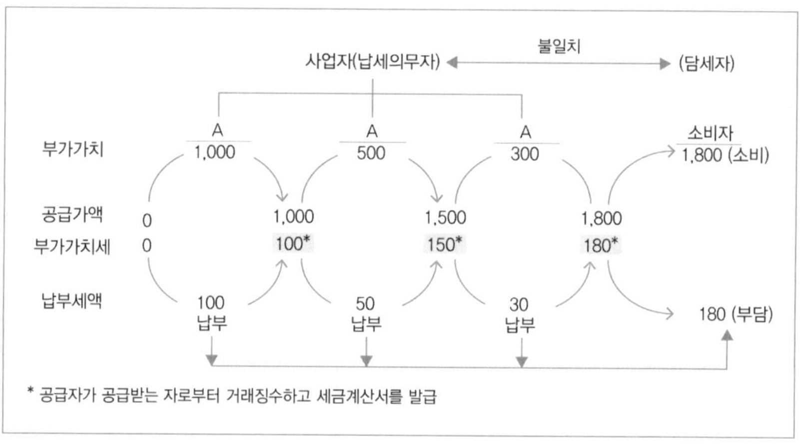

그림 전단계세액공제법

가령, 다단계판매원이 다단계판매회사에 제공하는 용역(본인의 상품 구매실적에 대한 수당＋다단계판매원 자신의 하위 네트워크의 구매실적에 대한 수당과 하위 네트워크 조직관리 및 교육훈련에 대한 수당 등)의 대가가 1천만 원이라면, 다단계판매원 본인이 창출한 용역의 부가가치는 1천만 원이다.

3. 우리나라 부가가치세의 특징

부가가치세는 다단계 일반소비세라 정의할 수 있다.

(1) 부가가치세는 일반소비세이다

부가가치세는 모든 거래단계에서 재화나 용역의 공급과 재화의 수입을 포괄적으로 과세대상으로 하도록 규정하고 있고, 예외적으로 과세되지 아니하는 경우와 면세대상이 되는 경우를 제한적으로 규정하고 있다.

포괄적으로 과세대상을 규정

(2) 부가가치세는 다단계거래세이다

부가가치세는 재화나 용역이 어떠한 형태이든 독립된 경제거래의 대상이 될 때에 과세함으로써 제조, 도매, 소매 등의 각 유통단계마다 모두 과세하는 다단계거래세이다. 부가가치세를 다단계거래세라

하는 이유는 앞 장에 설명한 농장의 농부, 밀가루공장, 빵공장과 같이 각 거래(유통)단계별로 창출된 부가가치에 대하여 단계적으로 과세하기 때문이다.

유통단계마다 모두 과세

(3) 부가가치세는 간접세이다

부가가치세는 납세의무자와 담세자가 구분되는 간접세이다. 즉, 소득세나 법인세의 경우는 납세의무자가 번 소득에 대한 세금이라면, 부가가치세는 최종소비자가 부담하는 세액을 사업자가 거래징수하여 납부하는 것일 뿐이다.

납세의무자 ≠ 담세자

(4) 부가가치세는 소비지국 과세원칙을 채택한다

우리나라의 부가가치세는 국제거래되는 상품에 대하여 수입하는 나라에서 과세하는 소비지국 과세원칙을 채택하고 있다. 즉, 부가가치세법은 공급장소가 우리나라의 주권 안에 들어올 때, 그 범위 안에서만 적용된다는 전제를 깔고 있다.

수출시 영세율, 수입시 과세

4. 부가가치세법상 사업자의 정의

부가가치세법에서는 사업자를 사업 목적이 영리이든 비영리이든 관계없이 사업상 독립적으로 재화나 용역을 공급하는 자를 말한다.

(1) 영리목적 유무를 따지지 않는다

사업목적이 영리이든 비영리이든 관계없이 부가가치를 창출하여 공급하는 사업자인 경우 납세의무자가 된다. 즉, 부가가치세는 세부담의 전가로 인하여 최종소비자가 세부담을 지므로, 사업자를 판정함에 있어 영리성을 필요로 하지 않는다.

> 부가가치세는 간접세로서 최종소비자가 부담하는 조세
>
> → 영리를 목적으로 하는 다른 사업자와의 경쟁에서 중립성을 유지하기 위해 영리 목적 유무를 가리지 않음.

(2) 사업성이 있어야 한다

부가가치세법에서는 사업을 정의하는 규정이 없으므로, 상식적으로 생각하는 사업이라는 개념으로 생각할 수밖에 없다. 계속적이고 반복적으로 무언가 경제활동을 하는 것으로 이해하면 될 것이다.

부가가치세법상에서 규정하는 사업에 대하여 부가가치세를 창출해낼 수 있는 정도의 사업 형태를 갖추고 계속적·반복적인 의사로 재화 또는 용역을 공급하는 경우를 말한다. (대법원 86누555, 86. 12. 9.)

다단계판매원이 자가소비형이 아닌 사업자형이라면 다단계판매활동을 계속적이고 반복적으로 한다고 보면 될 것이다.

(3) 독립성을 가져야 한다

사업의 독립성이란 남의 종업원이 아니라는 의미로, 인적 독립성과 물적 독립성을 가져야 한다는 것이다. 인적 독립성이란 한마디로 남의 종업원이 아니라는 것을 말하며, 물적 독립성이란 다른 사업에 부수되어 있지 아니하고 대외적으로 독립하여 재화나 용역을 공급하는 것을 말한다.

사업의 독립성 = 인적 독립성 + 물적 독립성

다단계판매원 중 사업자형회원은 종업원이 아니라 리더로서 자기의 독립된 활동을 하므로, 누군가에게 종속되어 활동하지는 않는다.

(4) 과세대상인 재화나 용역을 공급하여야 한다

위의 요건을 모두 갖추었다 하더라도 재화나 용역의 공급이 부가가치세법에서 규정하는 면세 대상인 경우에는 부가가치세법상 납세의무자가 아니며, 과세대상인 재화나 용역을 공급하여야 부가가치세의 납세의무자가 되는 것이다. 면세되는 재화나 용역을 공급하는 자(면세사업자)는 부가가치세법에서 말하는 사업자가 아니라서, 부가가치세법상 납세의무를 지지 않는다.

다단계판매원 중 물적 시설을 두거나 종업원을 고용한 경우는 부가가치세법상 납세의무자가 되고, 물적·인적 시설을 두지 않은 다단계판매원은 면세사업자로서 부가가치세법상 납세의무자가 아니다라고 할 수 있다.

5. 부가가치세 과세대상 거래

부가가치세는 사업자가 행하는 재화 또는 용역의 공급과 재화의 수입을 과세대상 거래로 규정한다. 쉽게 말하면, 재화의 공급이란 물건 등을 판매하는 것으로 이해하면 쉽고, 용역의 공급은 음식을 만들어 판매하는 행위, 즉 노동의 행위로 받아들이면 어떨까 싶다.

그렇다면 물건, 물품이라고 인식하는 재화의 범위가 어디까지인가 하는 의문이 든다. 유가증권이나 상품권, 현금도 재화(또는 물건)인가? 유가증권, 상품권, 현금이 물건은 아니더라도 물건 외에 재산적 가치가 있는 것임은 틀림없다. 그렇다면 현금을 주고받을 때마다 10%의 부가가치세를 얹어서 거래하는가? 그렇지는 않다. 현행 부가가치세법이 어려운 이유 중 하나가 재화나 용역을 어떻게 구분하고, 재화나 용역을 구분한 후에는 과세시기를 언제로 볼 것인지, 과세가액은 얼마로 볼 것인지 등의 문제가 있기 때문이다.

그렇다면 다단계판매원의 후원수당은 부가가치세법상 과세대상 거래인가? 즉, 재화의 공급인가 용역의 공급인가?

앞에서 본 바와 달리 부가가치세가 과세되느냐 면제되느냐의 문제가 아니라, 다단계판매원의 후원수당이 재화의 공급인지 용역의 공급인지를 질문하는 것이다. 답부터 말하면 다단계판매원이 받는 후원수당은 다단계판매회사에 신규 회원의 모집, 자기가 속한 그룹의 조직관리와 교육 등의 노동을 제공하는 것이기 때문에 용역의 공급에 해당한다. 다만, 부가가치세법에서 독립적 인적 용역이라서 부가가치세를 면제해 줄 뿐이다.

> ※ 개인 인적 용역이 부가가치세가 면세되는 경우
> 개인이 계속적·반복적으로 사업에만 이용되는 건축물·기계장치 등의 사업설비(임차한 것 포함) 없이 근로자를 고용하지 아니하고, 독립된 자격으로 용역을 공급하고 대가를 받는 인적 용역(법령에서 열거)

6. 다단계판매원(사업자형회원)의 사업자등록 신청

다단계판매원이 방문판매 등에 관한 법률 제15조[1]에 따라 다단계판매회사에 다단계판매등록을 하고 도소매업을 할 목적으로 다단계판매회사에 도소매업자로 신고한 경우, 그 다단계판매원에 대신하여 사업장 관할 세무서에 총괄등록을 하는 제도를 운영하고 있으나, 거의 유명무실하다.

결국 다단계판매원이 다음 중 하나에 해당하는 경우에는 다단계판매원의 사업장소재지 관할 세무서에 개별적으로 사업자등록을 하여야 한다. 아래 ①, ②는 부가가치세 처음에서 언급한 것과 같이 다단계판매원이 물적·인적 시설을 갖추었다는 말과 일맥상통한다.

① 다단계판매원이 별도 사업장을 두고 있는 경우
② 다단계판매원이 종업원을 고용한 경우
③ 다단계판매원이 다단계판매회사에 도소매 겸업신고를 한 경우

---

1 다단계판매 조직에 다단계판매원으로 가입하려는 사람은 그 조직을 관리·운영하는 다단계판매업자에게 총리령으로 정하는 바에 따라 등록하여야 한다.

그러므로 위에 해당하지 않는 다단계판매원은 부가가치세법상 사업자등록을 고려하지 않아도 된다.

> 부가가치세가 과세되는 사업을 하는 사업자는 사업장마다 법 소정의 절차에 따라 사업자등록을 하여야 한다.
>
> ※ 사업자등록이란 부가가치세 업무의 효율적인 운영을 위하여 사업자의 인적사항, 사업사실 등 사업에 관한 일련의 내용을 세무관서의 공부에 등재하는 것을 말한다.

(1) 사업자등록 신청방법

다단계판매원이 부가가치세 과세대상 사업자에 해당하는 경우는, 사업을 시작한 날로부터 20일 이내에 다음의 구비서류를 갖추어 세무서 민원봉사실에 신청하면 된다. 이때 별도 사업장을 두고 있는 경우는 그 사업장이 있는 소재지 관할 세무서에 신청하면 된다. 물론 요즘은 인터넷이 발달되어 사업자등록 신청도 국세청 홈택스를 이용할 수도 있으나, 사업자등록증을 찾을 때는 관할 세무서에 방문하여야 한다.

<구비 서류>

- 사업자등록신청서 1부
- 사업장을 임차한 경우는 임대차계약서 사본 1부
  (확정일자를 신청할 경우는 임대차계약서 원본)
- 2인 이상이 공동으로 사업을 하는 경우에는 공동사업 사실을 입증할 수 있는 서류(동업계약서 1부)

사업자등록증은 사업자등록 신청 즉시 발급해 주고 있으나, 사업자의 사업장 유무확인, 체납 등의 사전확인이 필요한 경우는 현장확인 등의 절차를 거친 후에 발급받을 수 있다.

(2) 사업자등록신청서 기재 방법

사업자등록신청서를 작성하다 보면 고민하는 것이 업태와 종목이다. 과거에는 다단계판매원이 직접 다단계판매회사의 상품을 사서 일정 소매 이익을 붙여 팔았다. 그래서 예전에는 업태를 "소매", 종목은 다단계판매회사가 파는 "건강보조식품", "자석 매트" 등으로 기재하였다.

그러나 지금은 이러한 소매 이익을 붙여 파는 다단계판매원은 거의 없고, 다단계판매원은 후원수당을 받는 것을 목적으로 한다. 판매원은 이를 위해서 자가소비형회원이나 사업자형회원을 모집하고, 이들이 해당 다단계판매회사의 제품으로 바꿔 쓰도록 하여 다단계판매회사에서 후원수당을 받는다.

여기서 자가소비자형회원이란 자기가 필요한 생활필수품 등을 소비하려고 회원 가입한 자를 말하며, 사업자형회원은 다단계판매원 신규 모집이나 교육 등을 통하여 이 사업을 주업 또는 부업으로 하는 자를 말한다.

따라서, 후원수당을 받는 사업자형 회원이 물적 또는 인적 시설을 갖추고 사업자등록을 하는 경우라면 업태는 '서비스', 종목은 '다단계판매원의 후원수당'이라고 기재하면 된다.

7. 사업자등록 시 과세유형 선택

앞 장에서 사업자등록을 해야 하는 다단계판매원이 사업자등록 신청을 할 때, 고려할 사항 중 하나가 과세 유형의 선택이다. 부가가치세법 과세유형은 일반과세자와 간이과세자로 나눈다. 그러면 사업자등록을 해야 하는 다단계판매원의 과세유형은 무엇으로 해야 할까?

부가가치세 과세사업자 유형
- 일반과세자: (매출세액-매입세액) = 납부세액
- 간이과세자: 직전연도 공급대가의 합계액이 4,800만 원에 미달하는 개인사업자
  공급대가* × 해당 업종의 부가가치율 × 10% = 납부세액
  * 부가가치세가 포함된 금액

결론부터 말하면, 다단계판매원은 다단계판매회사에서 매월 받는 후원수당에 대하여 세금계산서를 발행해야 하므로 일반과세자를 선택해야 한다. 왜냐하면, 다단계판매회사가 다단계판매원에게 후원수당을 지급할 때 부가가치세를 포함하여 지급하므로, 다단계판매원은 매출세금계산서를 교부해야만 다단계판매회사가 다단계판매원에게 지급한 부가가치세를 그대로 매입세액으로 공제받을 수 있기 때문이다.

그런데 사업자등록을 해야 하는 다단계판매원이 사업자등록을 하지 않거나, 다단계판매원의 매출액이 적다고 사업자등록 시 간이과세자로 과세유형을 선택하거나, 과세유형이 일반과세자에서 간이과세자로 바뀌게 되면 세금계산서를 발급할 수 없게 된다.

또한, 다단계판매원이 받는 후원수당에 대한 사업형태를 개인으로 할 것인지 법인으로 해도 되는지를 질문하는 분들이 있는데, 방문판매 등에 관한 법률[1]에서 법인은 다단계판매원으로 등록할 수 없도록 규정하고 있으므로 선택의 여지 없이 개인사업자로 사업자등록을 하여야 한다.

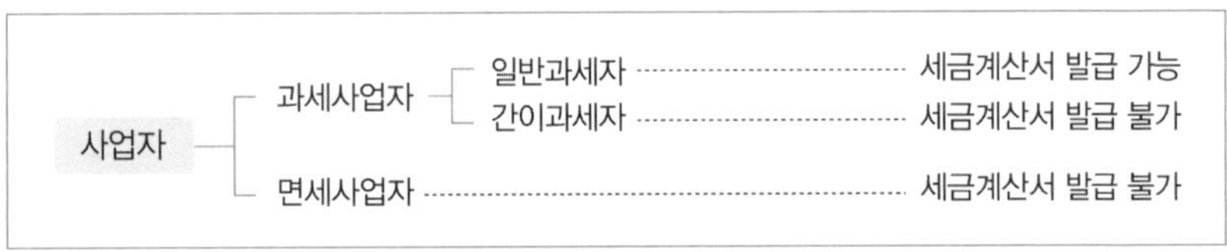

그림 사업자의 분류

1 방판법 제15조(다단계판매원)에서는 국가공무원, 지방공무원, 교육공무원 및 「사립학교법」에 따른 교원과 미성년자(법정대리인의 동의를 받은 경우는 제외), 법인과 다단계판매업자의 지배주주 또는 임직원은 다단계판매원으로 가입할 수 없음.

8. 사업자등록 시 확정일자 신청

다단계판매원이 임차한 상가건물이 경매 또는 공매되는 경우에 발생할 수 있는 불이익을 방지하기 위해, 임차인은 반드시 사업자등록과 함께 확정일자를 받아 두어야 한다. 확정일자는 전세로 집을 얻었을 때 주민자치센터(동사무소)에 가서 전세확정일자를 받는 개념과 같다.

상가건물임대차보호법의 확정일자란, 건물소재지 관할 세무서장이 그 날짜에 임대차계약서의 존재사실을 인정하여 임대차계약서에 기입한 날짜를 말한다.

사업자등록 신청 시 확정일자를 받아두면 등기를 한 것과 같은 효력을 가지므로, 임차한 건물이 경매나 공매로 넘어갈 경우 확정일자를 기준으로 후순위권리자에 우선하여 보증금을 변제받을 수 있다. 그러나, 확정일자를 받아 놓지 않으면 임대차계약 체결 후 임차한 건물에 근저당권 등이 설정된 경우 우선순위에서 밀리기 때문에 보증금을 받을 수 없는 경우가 생길 수 있다.

상가건물임대차보호법에서 정한 확정일자 신청대상은 임차한 모든 건물에 적용되는 것이 아니라, 환산보증금(보증금과 월세의 보증금 환산액[1]을 합한 금액)이 지역별로 다음 금액 이하인 경우에만 보호받을 수 있다.

지역	환산보증금
서울특별시	9억 원
수도권정비계획법에 의한 수도권 중 과밀억제권역(서울 제외), 부산광역시	6억 9천만 원
광역시(수도권과밀억제권역과 군지역 제외, 부산광역시 제외), 안산시, 용인시, 김포시, 광주시, 세종특별자치시, 파주시, 화성시	5억 4천만 원
기타 지역	3억 7천만 원

지역별 환산보증금의 요건에 해당하여 사업자등록 신청 또는 기존에 사업자등록을 신청한 자가 확정일자를 받으려면, 아래의 서류를 구비하여 건물소재지 관할 세무서 민원봉사실에 신청하면 된다.

신규로 사업자등록 신청하는 경우	기존 사업자
• 사업자등록신청서 • 임대차계약서 원본 • 사업장 도면(건물 공부상 구분등기표시된 부분의 일부만 임차한 경우) • 본인 신분증(대리인이 신청할 경우는 위임장과 대리인 신분증)	• 사업자등록정정 신고서(임대차계약이 변경된 경우) • 임대차계약서 원본 • 사업장 도면(건물 공부상 구분등기표시된 부분의 일부만 임차한 경우) • 본인 신분증(대리인이 신청할 경우는 위임장과 대리인 신분증)

1 월세의 보증금 환산: 월세×100

9. 사업자등록을 하지 않으면 받는 세무상 불이익

새로 사업을 시작하는 자는 사업을 개시한 날로부터 20일 이내에 사업자등록을 하여야 한다. 이 기간 내에 사업자등록을 하지 않으면 가산세, 매입세액 불공제 등의 불이익을 받는다.

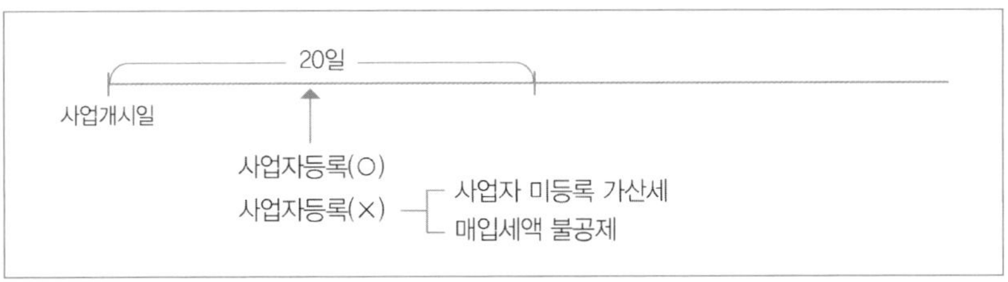

후원수당을 받을 목적의 다단계판매원의 경우는 원칙적으로 물적 시설을 가지게 된 때나 종업원을 두고 사업을 하는 때에 사업자등록 의무가 발생한다.

이러한 사업자등록의무가 발생하였음에도 불구하고 사업자등록을 하지 않으면, 아래와 같은 세무상 불이익이 발생한다.

(1) 사업자미등록 가산세

사업자가 사업을 개시한 날로부터 20일 이내에 사업자등록을 하지 않은 경우, 사업을 개시한 날로부터 등록을 신청한 날의 직전일까지의 매출액에 대하여 1%(간이과세자는 매출액의 0.5%와 5만 원 중 큰 금액)를 가산세로 부담해야 한다.

사업자미등록 가산세 = 매출액×1%(일반 사업자) ※ 간이과세자 = 큰 금액(매출액×0.5%, 50,000)

(2) 후원수당에 대한 부가가치세 납부

후원수당을 목적으로 하는 다단계판매원이 창출한 부가가치에 대한 부가가치세 납세의무가 발생하여 사업자등록의무가 발생한 시점부터 미등록한 때까지의 다단계판매회사에서 받은 후원수당에 10%가 매출세액이 되어 부가가치세를 납부하여야 한다.

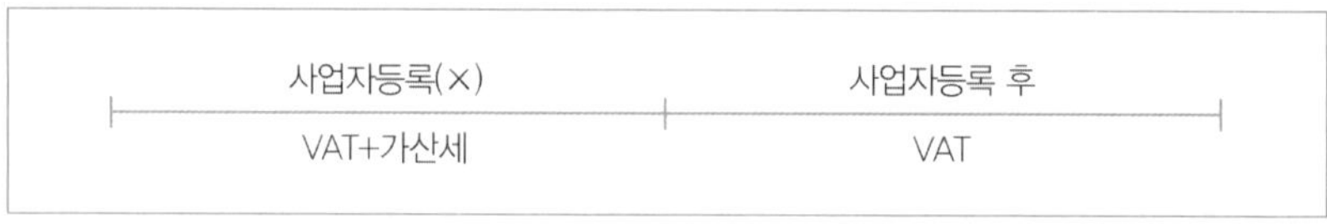

(3) 매입세액 불공제

사업을 개시하기 전에 사무실 유지를 위해 필요한 비품(냉장고, TV, 정수기 등) 등을 구입하는데, 비품 등을 구입한 날이 속하는 과세기간이 끝난 후 20일이 지나서 사업자등록을 신청하는 경우에는 매입세액공제를 받을 수 없다.

단, 사업을 개시하기 전에 사업자등록을 하지 않았기 때문에 부여받은 사업자번호가 없지만, 이때에는 반드시 세금계산서의 공급받는 자의 란에 사업자등록번호 대신 주민등록번호를 기재하여 세금계산서를 교부받으면 매입세액공제를 받을 수 있다.

만약 김절세 씨가 공급시기가 속하는 과세기간이 끝난 후 20일 이내에 등록 신청한 경우, 등록 신청일로부터 공급시기가 속하는 그 과세기간 기산일까지 역산한 기간 내의 매입세액은 공제가 가능하다.

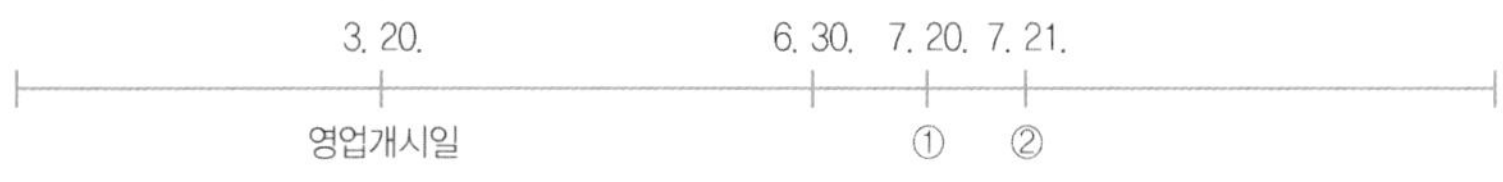

① 김절세 씨가 7월 20일까지 사업자등록 신청한 경우:
1월 1일 ~ 6월 30일까지의 매입세액 전부 세액공제 가능

② 김절세 씨가 7월 21일 이후 사업자등록 신청한 경우:
1월 1일 ~ 6월 30일까지의 매입세액 불공제

〈관련 법규〉
부가가치세법 제8조 제1항, 제39조 제1항 제8호, 제60조 제1항, 제69조 제2항

10. 과세기간과 납세지

(1) 과세기간

과세기간이란 세법에 따라 국세의 과세표준 계산에 기초가 되는 기간을 말하며, 개별 세법에 따라 과세기간을 달리 정하고 있다.

사업자에 대한 부가가치세의 과세기간은 다음과 같으며, 사업자는 이러한 각 과세기간에 대한 과세표준과 세액을 그 과세기간이 끝난 후 25일(폐업하면 폐업일이 속하는 달의 다음 달 25일) 이내에 신고·납부해야 한다.

구분	과세기간
일반적인 과세기간	• 일반과세자의 경우는 제1기: 1월 1일 ~ 6월 30일 제2기: 7월 1일 ~ 12월 31일 • 간이과세자는 1월 1일 ~ 12월 31일
신규로 사업을 개시하는 경우	• 최초의 과세기간: 사업개시일 ~ 그날이 속하는 과세기간의 종료일
사업자가 폐업을 하는 경우	• 해당 과세기간의 개시일 ~ 폐업일

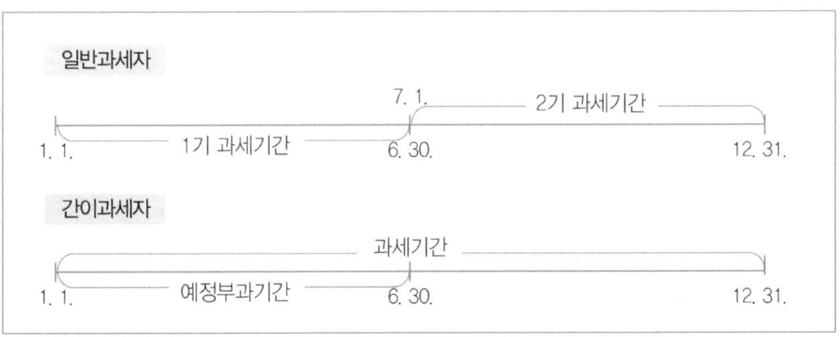

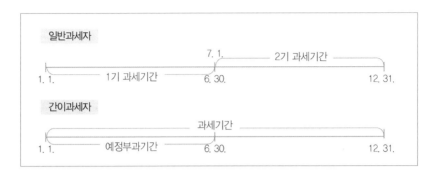

(2) 납세지

납세지란 납세의무자가 납세의무 및 협력의무를 이행하고 세무서가 세금을 과세할 수 있는 부과권과 세금을 받아낼 수 있는 징수권을 행사하는 기준이 되는 장소이다.

사업장은 사업자가 사업을 하기 위하여 거래의 전부 또는 일부를 하는 고정된 장소로 한다.

다단계판매원이 재화나 용역을 공급하는 사업의 사업장은 해당 다단계판매원이 등록한 다단계판매회사의 주된 사업장의 소재지이다. 다만, 다단계판매원이 항상 있으면서 거래의 전부 또는 일부를 하는 별도의 장소가 있는 경우에는 그 장소로 한다.

11. 부가가치세의 세금 구조

우리나라의 부가가치세법은 전단계세액공제법을 따르고 있어 매출세액에서 매입세액을 차감하여 계산한 부가가치세를 국가에 납부하도록 하고, 사업자의 과세유형은 일반과세자와 간이과세자로 나눈다.

후원수당을 받는 다단계판매원 중 사업장을 두거나 종업원을 고용한 경우 관할 세무서에 사업자등록을 하여야 하는데, 여기에 해당하는 다단계판매원은 세금계산서를 발급하여야 하기에 일반과세자가 대다수이지만 간이과세자도 있을 수 있다.

그래서 과세 유형별 부가가치세의 세금 구조를 잘 이해할 수 있도록 일반과세자의 세금 구조와 간이과세자의 세금 구조 차이를 이해하고, 특히 일반과세자의 경우는 매입세액 및 경감공제세액 항목을 최대한 활용하는 경우 부가가치세를 절세할 수 있다.

〈납부세액의 계산구조〉

- 일반과세자: 공급가액의 합계액×10% – 세금계산서 등에 확인되는 매입세액
- 간이과세자: 공급대가의 합계액×해당 업종의 부가가치율×10%

(1) 일반과세자의 세금 구조

부가가치세법은 원칙적으로 매출세액에서 세금계산서 등에 의해 확인되는 매입세액을 차감하여 납부세액을 계산하는 전단계세액공제법을 채택하고 있다. 그리고 납부세액에서 경감·공제세액을 뺀 후에 가산세를 더하면 최종 납부할 세액이 계산된다.

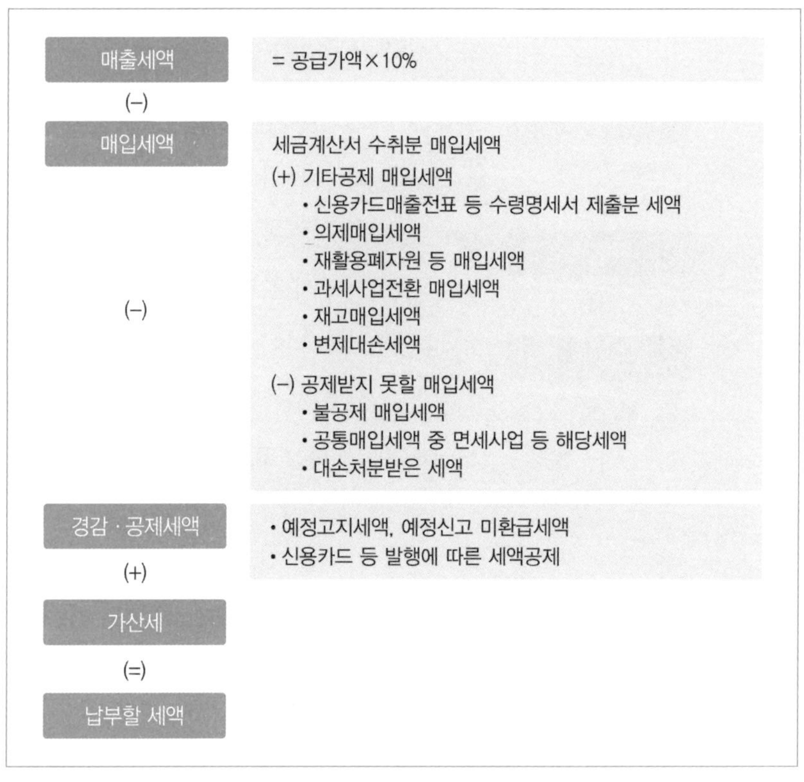

그림 일반과세자의 세금계산 구조

(2) 간이과세자의 세금 구조

간이과세자는 일반과세자의 세금 구조와 비슷하기는 하지만, 일정한 영세사업자에게 실제의 매입세액을 공제하는 대신 업종별 부가가치율을 적용하여 보다 쉽고 간편한 과세방식의 성격을 갖는다.

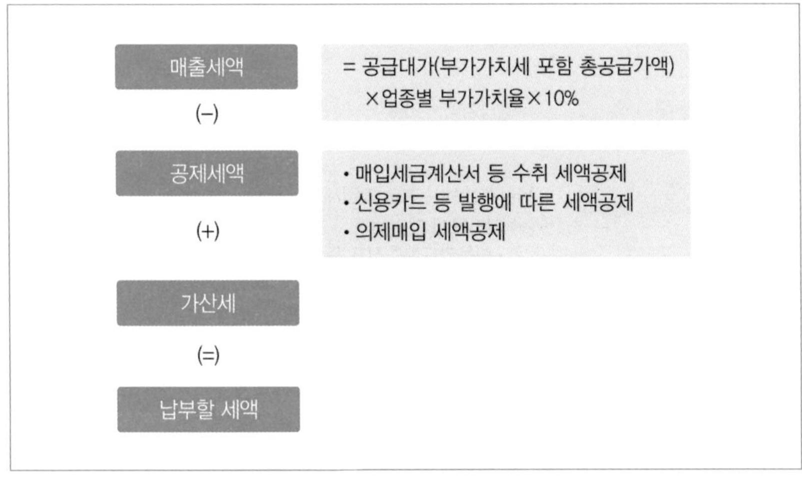

그림 간이과세자의 세금계산 구조

12. 부가가치세 과세표준

(다단계판매원이 받은 후원수당의 합계)

"제2장 조세총괄 편"에서 보았듯이 "과세표준"이란 세법에 의하여 직접적으로 세액산출의 기초가 되는 과세대상의 수량이나 가액을 말한다. 부가가치세의 납세의무자는 사업자이고, 사업자가 납부해야 할 부가가치세액은 매출세액에서 매입세액을 뺀 금액이다.

그래서 부가가치세의 과세표준은 매출액에서 매입액을 차감한 금액이 과세표준, 즉 세액산출의 기초가 되는 가액이 되어야 할 터인데, 우리나라 부가가치세법의 과세표준은 매출세액을 산출하는 기준금액을 말한다. 즉, 사업자가 해당 과세기간에 공급한 재화나 용역의 공급가액의 합계액이 과세표준이다.

현행 다단계판매원 중 사업자형회원은 인세와 같은 성격의 후원수당을 계속적으로 받을 목적으로 사업을 하는 것이지, 단순히 도·소매 이익을 얻고자 이 사업을 하지는 않는다. 따라서, 사업자형회원으로서 세무서에 사업자등록을 한 자의 과세표준은 다단계판매회사에서 받는 후원수당의 합계액이다.

방판법 제2조 용어의 정의에서 "후원수당"이란 판매수당, 알선 수수료, 장려금, 후원금 등 그 명칭 및 지급 형태와 상관없이 다단계판매업자가 다단계판매원에게 지급하는 모든 경제적 이익을 말하므로, 아래 ①~④에 해당하는 후원수당의 합계액이 부가가치세 과세표준에 해당한다.

① 판매원 자신의 재화 등의 거래실적
② 판매원의 수당에 영향을 미치는 다른 판매원들의 재화 등의 거래실적
③ 판매원의 수당에 영향을 미치는 다른 판매원들의 조직관리, 교육훈련 실적
④ 그 밖에 판매원들의 판매활동을 장려하거나 보상하기 위하여 지급되는 일체의 경제적 이익

13. 세금계산서의 중요성과 발행

우리나라의 부가가치세는 전단계세액공제법을 따르고 있으므로, 세금계산서의 중요성은 더 이상 말할 필요가 없다.

〈세금계산서의 기능〉

- 송장
- 세금 영수증
- 과세자료
- 청구서 또는 영수증
- 장부

세금계산서란, 거래당사자 모두가 관여하는 사건을 기준으로 운용되어야 한다. 그래서 일반과세자가 재화나 용역을 공급하는 때에는 세금계산서를 발급하여야 하는데, 이를 발급하지 않거나 잘못 발급하면 공급자가 내야 할 매출세액은 당연한 것이고 안 물어도 될 가산세를 물어야 하고, 매입자는 가산세를 물거나 매입세액을 공제받지 못할 수도 있어 자칫 양 당사자의 거래관계가 끊어지는 경우도 발생한다.

[별지 제11호 서식]

세금계산서(공급자보관용)

책번호	권		호
일련번호		-	

공급자				공급받는자			
등록번호	- -			등록번호			
상호(법인명)		성명(대표자)		상호(법인명)		성명(대표자)	
사업장주소				사업장주소			
업태		종목		업태		종목	

작성			공급가액													세액												비고
년	월	일	공란수	조	천	백	십	억	천	백	십	만	천	백	십	일	천	백	십	억	천	백	십	만	천	백	십	일

월	일	품목	규격	수량	단가	공급가액	세액	비고

합계금액	현 금	수 표	어 음	외상미수금	이 금액을 영수/청구 함

따라서, 부가가치세법상 세금계산서는 재화나 용역의 공급시기에 발급하는 것을 원칙으로 하므로, 세금계산서를 발급하거나 발급받을 때에는 정해진 공급시기에 양 거래당사자 모두 공급하는 사업자의 등록번호와 성명과 명칭, 공급받은 자의 등록번호, 공급가액과 부가가치세액, 작성 연월일을 정확히 기재하여야 한다. 이러한 사항을 필요적 기재사항이라고 하는데, 필요적 기재사항의 전부 또는 일부가 기재되지 않았거나 사실과 다르게 기재된 때에는 공급자와 공급받는 자 모두 공급가액의 1%를 가산세로 물어야 한다.

그러므로 세금계산서를 발급할 경우 재화 또는 용역의 공급시기에 특히 필요적 기재사항을 정확히 기재하여 발급하여야 하며, 세금계산서에 적을 사항은 다음과 같다.

구분	내용	비고
(1) 필요적 기재사항	① 공급하는 사업자의 등록번호와 성명·명칭 ② 공급받는 자의 등록번호* ③ 공급가액과 부가가치세액 ④ 작성 연월일	그 전부 또는 일부가 적혀 있지 않았거나 그 내용이 사실과 다른 경우에는 세금계산서로서의 효력이 인정되지 않는다.
(2) 임의적 기재사항	① 공급하는 자의 주소 ② 공급받는 자의 상호·성명, 주소 ③ 단가와 수량 ④ 공급 연월일 등	세금계산서의 효력에 아무런 영향을 미치지 않는 사항들이다.

* 공급받는 자가 사업자가 아니거나 미등록 사업자인 경우 고유번호 또는 주민등록번호

14. 전자세금계산서 발급 의무화

전자세금계산서란, 기존에 종이로 세금계산서를 발급하던 것을 전자적 방식으로 세금계산서를 작성·발급하고 그 내역을 국세청에 전송하는 방식이다. 국세청은 전자세금계산서 도입으로 사업자의 납세 협력비용을 줄이고 투명한 거래 환경을 조성하였다.

전자세금계산서를 발급해야 하는 사업자는 모든 사업자에게 적용되는 것은 아니고, 영세한 사업자를 배려하는 차원에서 과세관청은 매년 전자세금계산서를 발급해야 하는 의무자를 정하고 있으며, 점차적으로 발급의무대상자를 확대해 나가 향후에는 모든 사업자가 전자세금계산서를 발급하는 것을 목표로 하고 있다.

전자세금계산서를 의무적으로 발급해야 하는 사업자는 직전연도 과세공급가액과 면세공급가액의 합계액(총수입금액)이 3억 원 이상인 개인 사업자이다.

구분	총수입금액	과세공급가액	면세수입금액	전자세금계산서 발급의무 여부
사례1	3억 원	3억 원	-	발급의무 ○ (총수입금액이 3억 원 이상)
사례2	3억 원	-	3억 원	
사례3	3억 원	1억 원	2억 원	

출처: 국세청

개인사업자의 전자발급 의무기간은 사업장별 재화 및 용역의 공급가액의 합계액이 3억 원 이상인 해의 다음 해 제2기 과세기간과 그 다음 해 제1기 과세기간으로 한다.

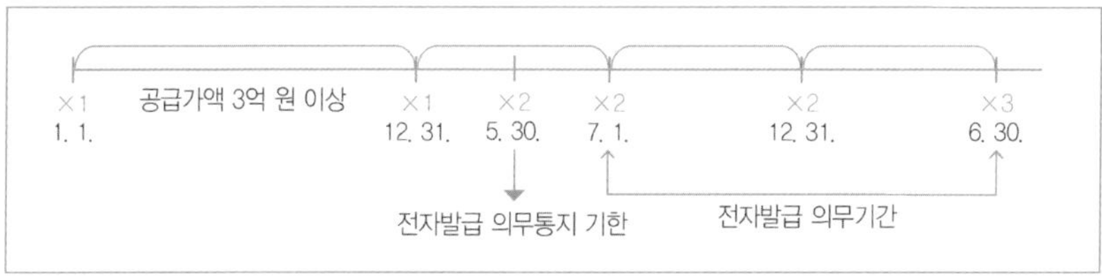

이를 표로 쉽게 정리하면 다음과 같으며, 의무발급 과세기간 시작 1개월 전까지 세금계산서 전자발급을 할 것을 알려주는 통지서를 받지 못한 경우는 통지서를 받은 날이 속하는 달의 다음다음 달 1일부터 의무발급하면 된다(2018. 2. 13. 이후 통지 분부터 적용).

공급가액 3억 원 이상 기존연도	전자발급 의무기간	전자발급 의무통지
2018년	2019. 7. 1.~2020. 6. 30.	2019. 5. 31.

그리고 사업장별 재화 및 용역의 공급가액의 합계액이 수정신고나 결정경정(이하 수정신고 등)으로 3억 원 이상이 된 경우 수정신고 등

을 한 날이 속하는 과세기간의 다음 과세기간부터 그 다음 과세기간을 의무발급기간으로 한다.

예를 들면, 2019년 연간 공급가액의 합계액이 2억 원 이상인 다단계판매원이 2020년 3월 공급가액 1.5억 원을 수정신고하여 총수입금액이 3.5억 원이 된 경우에는 2020. 7. 1.부터 2021. 6. 30.이 의무발급기간이 되는 것이다.

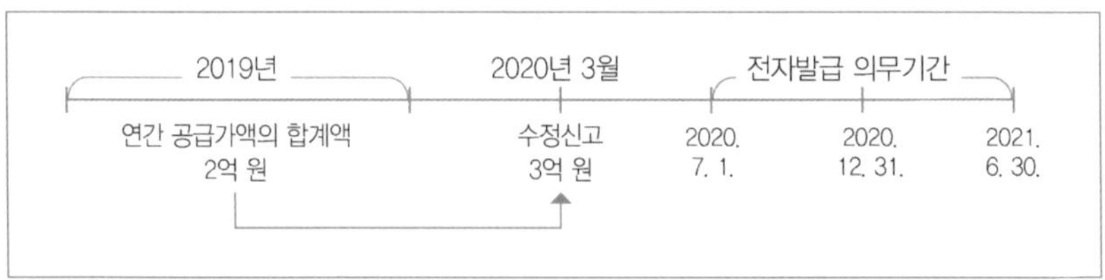

전자세금계산서를 발급하는 방법은 국세청에서 운영하는 홈택스에서 발급하거나 전자세금계산서 시스템사업자(ASP, ERP)를 통해 발급하며, 기타 발급방법으로 인터넷 사용이 어려운 경우는 전화 ARS (☎ 126-1-2-3)를 이용하기 바란다.

15. 세금계산서의 교부(발행)시기

현행 부가가치세법은 공급시기를 다음과 같이 정의하여 세금계산서를 언제 발급해야 하는지를 정하고 있다.

먼저, 재화의 공급시기는 아래 ①~③ 중에 해당하는 때로 하며, 구체적인 거래형태에 따른 재화의 공급시기는 별도로 달리 정하고 있다.

① 재화의 이동이 필요한 경우: 재화가 인도되는 때
② 재화의 이동이 필요하지 아니한 경우: 재화가 이용가능하게 된 때
③ 위 ①, ②를 적용할 수 없는 경우: 재화의 공급이 확정되는 때
(이하 생략)

그리고 용역의 공급시기는 다음 ①~② 중에 해당하는 때로 한다.

① 역무의 제공이 완료되는 때
② 시설물, 권리 등 재화가 사용되는 때(이하 생략)

따라서, 재화나 용역의 공급시기에 세금계산서를 발급하는 것이 원칙이다. 그러나 공급시기가 도래하기 전에 재화나 용역의 공급대가의 전부 또는 일부를 받고 세금계산서를 발급하는 경우에는 그 발급하는 때를 공급시기로 보므로, 공급시기가 도래하기 전에 세금계산서를 발급하는 것도 예외적으로 허용하고 있다.

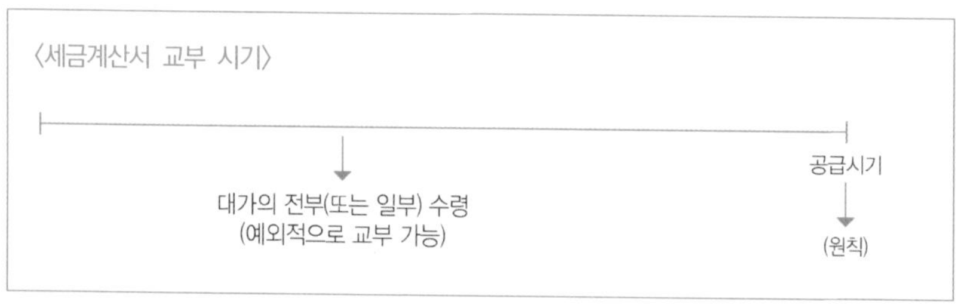

그러나 재화 또는 용역의 공급시기가 지난 이후 해당 공급시기가 속하는 과세기간 이내에 세금계산서를 발급하는 경우 공급자는 공급가액의 1%에 상당하는 "세금계산서 지연발급가산세"를, 공급받는 자는 공급가액의 0.5%에 상당하는 "세금계산서 지연수취가산세"를 물게 된다.

(1) 후원수당에 대한 매출세금계산서 발행, 발행시기

다단계판매원은 다단계판매회사에 용역을 제공하고 그에 대한 대가로 후원수당을 받는다. 인적 용역의 공급시기는 용역을 제공한 날과 용역의 대가를 받은 날 중 빠른 날로 정하고 있다.

다단계판매회사마다 다단계판매원에게 후원수당을 지급하는 횟수나 일자가 다를 수 있으나, 다단계판매회사는 매달 1~15일, 16일~그달 말일로 정하거나 매달 1일~그달 말일로 정하여 용역 제공에 따른 후원수당을 지급하고 있다. 따라서 다단계판매원이 제공하는 인적용역의 공급 시기는 용역의 제공이 완료되는 때인 매월 말일로 보아도 될 것이다.

이 경우 다단계판매원은 매월 제공한 용역의 대가, 즉 다단계판매회사에서 받은 후원수당에 대하여 용역을 제공한 달의 다음 달 10일까지 매출세금계산서를 다단계판매회사에 교부하여야 한다.

뒤에서 다시 언급하겠지만, 세금계산서를 정해진 발행시기가 지나도록 발행하지 않거나 지연해서 발행하게 되면 다단계판매원이나 다단계판매회사에 세무상 불이익이 생기므로 세금계산서 발행에 유의해야 할 것이다.

16. 매출세금계산서 발행 방법(정상적 발급, 매입자중심 발급) 및 유의사항

다단계판매원이 제공한 용역의 대가로 받는 후원수당에 대하여 다음 달 10일까지 세금계산서를 교부하여야 하는데, 다단계판매회사마다 세금계산서를 교부받는 방법이 다르다. 예를 들어 A사는 전자세금계산서로, H사는 전자세금계산서와 종이세금계산서를 함께 교부받고 있다.

세금계산서를 누가 작성하느냐의 차이에 따라 세금계산서 정상적 발급(실무에서는 "정발행" 용어를 사용함)과 매입자중심 발급(실무에서는 "역발행" 용어를 사용함)으로 나눈다. 그러나 세금계산서를 정발행 하든지 역발행하든지, 세금계산서가 발행되는 사실은 동일하다.

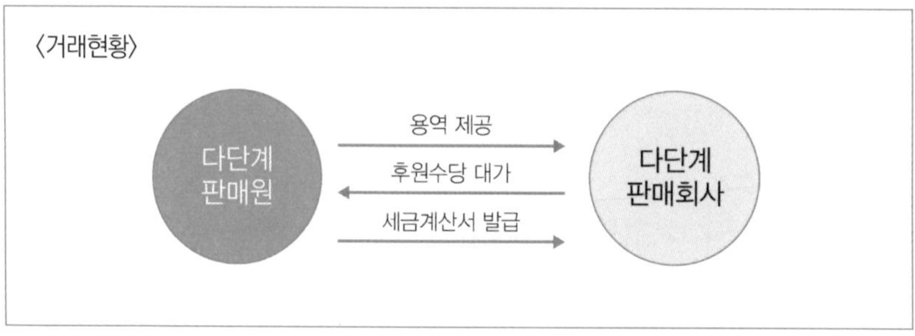

다단계판매원이 세금계산서(종이, 전자 포함)를 작성하여 다단계판매회사에 발행하는 방법을 정발행이라 하고, 다단계판매회사가 전자세금계산서를 작성하여 다단계판매원이 이를 확인한 후에 공인인증서로 인증을 하면 세금계산서가 발행되는 방법을 역발행이라 한다.

다단계판매원이 다단계판매회사에서 받은 후원수당에 대하여 전자세금계산서를 발행하기 위해서는, 정발행이든 역발행이든 다단계판매원의 공인인증서가 필수적이다.

대부분의 다단계판매원은 세금계산서를 한 달에 한번 발행하기 때문에 공인인증서가 만료된 줄 모르고 있거나, 해외에 머무는 동안에 세금계산서 발급 기한을 넘겨 나중에 세금계산서를 발급하는 경우가 종종 발생한다. 그래서 다단계판매원은 세금계산서 발급지연가산세를 물게 되고, 다단계판매회사는 세금계산서 수취지연가산세를 물게 되는 세무상 불이익이 따른다.

따라서 다단계판매원은 자기의 공인인증서 관리를 잘하고 해외에 머무는 등 불가피한 경우를 대비해 세금계산서가 지연발급되거나 미발급되지 않도록 하여 양쪽 모두 세무상 불이익을 받지 않아야 할 것이다.

17. 세금계산서를 잘 챙기는 것이 절세의 지름길!

다단계판매원은 후원수당에 대한 대가를 다단계판매회사에서 받은 후에 매출세금계산서를 발급한다. 그러므로 다단계판매원의 경우도 근로소득자가 유리 지갑을 가지고 있다고 비유하는 것처럼, 다단계판매원도 부가가치세 매출이 투명하여 매출세액을 적게 신고할 수 없다. 그러면 사업자등록을 한 다단계판매원은 부가가치세를 절세할 수 있는 방법이 없을까?

부가가치세의 세금 계산 구조에서 보았듯이 사업자가 납부할 부가가치세는, 매출세액에서 물건 등을 구입할 때 부담한 매입세액을 뺀 금액으로 계산한다. 따라서, 부가가치세 부담을 줄이기 위해서는 매출세액을 줄이거나 매입세액을 늘려야 한다. 그런데 다단계판매원의 매출액은 매월 후원수당의 대가로 근로자의 유리지갑처럼 투명하므로 줄일 수 없다. 만약 다단계판매원이 매출액을 고의로 누락시키거나 임의로 줄인다면 이는 탈세행위로서 해서는 안되는 일이다. 설령 이러한 탈세행위를 했다고 하더라도 쉽게 발견되므로, 훨씬 무거운 세금을 부담하게 될 것이다.

결국, 부가가치세를 합법적으로 절세할 수 있는 방법은 매출세액을 줄이는 것이 아니라, 매입세액을 늘리는 방법이다. 그렇다면 매입세액을 늘리는 방법이 있을까? 매입세액도 매출세액과 마찬가지로 발생하지 않은 매입세액을 발생한 것으로 하거나, 임의로 매입세액을 늘린다면 이 또한 탈세행위이다.

따라서, 다단계판매원은 사업과 관련된 물품을 구입할 때는 세금계산서를 받거나 신용카드, 현금영수증을 받는 습관을 길러야 한다. 매입금액이 적다고 세금계산서를 받지 않거나 신용카드, 현금영수증도 사용하지 않는다면 매입세액으로 공제받을 수 없다. 그리고 간이과세자로부터 물건을 구입한 경우는 세금계산서를 교부받을 수 없고 신용카드, 현금영수증을 사용했다 하더라도 매입세액으로 공제받을 수 없으므로 일반과세자와 거래하는 것이 유리하다.

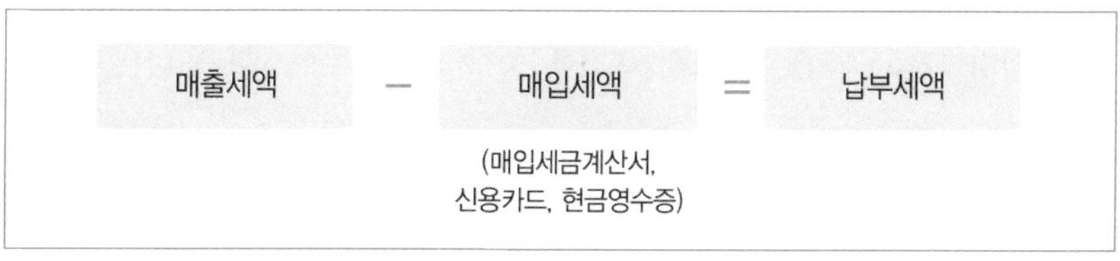

사업자등록을 한 다단계판매원은 비록 적은 금액이라도 사업과 관련된 재화나 용역을 공급받을 때는 세금계산서를 빠짐없이 받거나, 세금계산서를 받지 못할 때는 신용카드나 현금영수증을 받아 두는 것이 부가가치세를 절약하는 길이다.

부가가치세법에서는 일반과세자가 재화 등을 공급받고 부가가치세액이 별도로 구분 가능한 신용카드매출전표, 현금영수증을 발급받으면 구분 기재된 부가가치세액은 세금계산서를 발급받지 않아도 공제할 수 있는 매입세액으로 본다. 이 경우 신용카드매출전표 등 수령명세서를 제출하고 신용카드매출전표 등을 보관하여야 한다.

〈신용카드매출전표 등 수령매입세액〉

사업자가 일반과세자로부터 재화 또는 용역을 공급받고 부가가치세액이 별도로 구분되는 신용카드매출전표 등을 발급받는 경우로서, 다음의 요건을 모두 충족하는 경우 그 부가가치세액은 매출세액에서 공제할 수 있는 매입세액으로 본다.

- 신용카드매출전표 등 수령명세서를 현금영수증, 신용카드의 수령금액을 적어 제출할 것
- 신용카드매출전표 등을 그 거래 사실이 속하는 과세기간에 대한 확정신고를 한 날로부터 5년간 보관할 것

다만, 신용카드업자 등으로부터 전송받아 전사적자원관리시스템에 보관하고 있는 신용카드, 현금영수증, 직불카드의 거래정보(「국세기본법 시행령」 제65조의7 각 호의 요건을 충족하는 경우만 해당한다)를 보관하고 있는 경우에는 신용카드매출전표 및 현금영수증을 수취하여 보관하고 있는 것으로 본다.

그리고 신용카드는 국세청 홈택스에 사업용신용카드로 등록해 두면 쉽게 신용카드사용내역을 조회할 수 있고, 현금영수증도 홈택스에서 조회 가능하므로 이러한 제도를 잘 활용하면 부가가치세도 절세하면서 신고도 쉽게 할 수 있다.

18. 다단계판매원이 받을 수 있는 세금계산서 등

사업자등록을 한 다단계판매원은 사업과 관련하여 지출한 비용에 대하여 매입세금계산서, 신용카드매출전표나 현금영수증을 받으면 부가가치세 매출세액에서 매입세액을 공제받을 수 있다고 하였다.

그렇다면 부가가치세 매입세액을 공제받기 위해 사업과 관련하여 지출한 비용의 기준은 무엇인가? 하는 질문을 받는다. 반대로 말하면, 다단계판매사업을 하는데 있어 사업과 관련이 없는 것은 매입세액 공제가 되지 않는다.

예를 들면, 다단계판매원의 집에서 사용하는 생활용품, 화장품, 전자제품(공기청정기, 정수기 등)은 사업과 관련이 있다고 보기 어렵다. 부가가치세법에서는 이를 업무와 무관한 비용으로 보아 매입세액 공제를 허용하지 않는다.

다단계판매원이 부가가치세 매입세액 공제를 받기 위한 주요 비용 중 매입세금계산서를 받거나 부가가치세가 구분 기재된 일반과세자에게 받은 신용카드매출전표, 현금영수증의 예는 다음과 같다.

① 사업장을 임차한 경우 임차 비용(단, 임대인이 일반과세자이어야 세금계산서를 교부받을 수 있다. 임대인이 간이과세자라면 세금계산서를 교부받지 못하므로, 임대인이 일반과세자인지 간이과세자인지 확인할 필요가 있다.)

② 다단계판매사업을 위해 사업장에 필요한 비품 구입비용

③ 다단계판매사업의 광고(상품 홍보)를 위해 다단계판매회사에서 구입한 상품 등 비용

④ 다단계판매사업을 위해 구입한 1000cc 이하 소형자동차 및 9인승 이상 업무용 자동차 구입 비용 및 유지와 관련한 비용

⑤ 위 이외에도 사업과 관련됨을 입증할 수 있는 비용이라면 매입세액으로 공제 가능

19. 부가가치세 매입세액이 공제되지 않는 항목

(1) 세금계산서를 제때 받지 못한 경우

세금계산서는 사업자가 재화나 용역을 공급하고 거래상대방으로부터 부가가치세를 거래징수하였음을 증명하는 증빙자료로 송장 및 세금영수증의 기능을 가진 중요한 서류이다. 그래서 부가가치세법에서는 정해진 시기에 세금계산서를 교부받고 매입세액을 공제하도록 하며, 제때 세금계산서를 받지 못하면 세무상 불이익을 준다. 따라서, 재화 또는 용역의 공급시기에 대금을 지급하지 못하더라도 세금계산서는 정해진 시기에 주고받아야 한다.

1) 공급시기가 속한 과세기간의 확정신고기한 내에 발급받는 경우

다단계판매원이 4월에 사무실 비품을 구입하고 세금계산서는 6월(또는 7월 25일 이전)에 받은 경우이다.

이러한 경우에는 판매자에게는 공급가액의 1%의 가산세, 구매자인 다단계판매원에게는 매입세액은 허용하면서 공급가액의 0.5%의 가산세가 부과된다.

2) 공급시기가 속한 과세기간의 확정신고기한이 지나서 발급받는 경우

다단계판매원이 4월에 사무실 비품을 구입하고 세금계산서는 과세기간의 확정신고기한(7월 26일 이후)이 지난 8월에 받은 경우이다.

재화 또는 용역의 공급시기가 속하는 과세기간에 대한 확정신고기한 이후 세금계산서를 발급받았더라도 그 세금계산서의 발급일이 재화 또는 용역의 공급시기가 속하는 과세기간에 대한 확정신고기한 다음 날부터 6개월 이내이고, 다음의 어느 하나에 해당하는 경우 매입세액을 공제받을 수 있다.

- 발급받은 세금계산서와 함께 과세표준 수정신고서 및 경정청구서를 제출하는 경우
- 거래사실이 확인되어 납세지 관할 세무서장 등이 결정 또는 경정하는 경우

이 경우 판매자에게는 공급가액의 2%의 가산세, 구매자인 다단계판매원에게는 공급가액의 0.5%의 가산세가 부과된다.

(2) 세금계산서, 신용카드매출전표, 현금영수증을 받았어도 공제되지 않는 경우

부가가치세 매출세액에서 공제하는 매입세액은, 자기의 사업을 위하여 사용되었거나 사용될 재화 또는 용역을 공급받았을 때 부담한

매입세액을 말한다. 따라서 사업자가 부가가치세를 부담했더라도 사업과 관련이 없는 등 매입세액이 불공제되는 경우를 정하고 있다.

특히, 다단계판매원의 경우 쟁점이 되는 부분은 사업과 관련이 있는지 여부, 출장 미팅이 많은 비영업용소형승용차의 구입과 임차 및 유지에 관한 매입세액, 접대비와 관련된 매입세액이 가장 이슈가 되는 항목들이다.

〈매입세액 불공제 항목〉

① 매입처별세금계산서합계표 미제출, 부실기재분
② 세금계산서 미수취, 부실기재분
③ 사업과 직접 관련이 없는 지출에 대한 매입세액
④ 비영업용소형승용자동차의 구입과 임차 및 유지에 관한 매입세액
⑤ 접대비 및 이와 유사한 비용의 지출에 관련된 매입세액
⑥ 면세사업 및 토지관련 매입세액
⑦ 사업자등록 전 매입세액

20. 부가가치세법상 가산세

"제2장 조세총괄 편"에서 언급했듯이 국세기본법에서는 신고와 납부 관련 가산세를 통일적 규정을 두어 행정제재 성격의 가산세와 이자상당액의 가산세를 다음과 같이 물리고 있다.

1) 무신고가산세

무신고납부세액×20%(부정행위의 경우 40%)

2) 과소신고가산세

부정 과소신고납부세액×40%+일반 과소신고납부세액×10%

3) 납부지연가산세

〈과소납부한 경우 (㉮+㉯)〉

㉮ 법정납부기한까지 미납부세액(또는 과소납부세액)×법정납부기한의 다음 날부터 납부일까지의 기간×25/100,000

㉯ 납세고지서에 따른 납부기한까지 미납부세액(또는 과소납부세액)×3%

〈초과환급받는 경우 (㉮+㉯)〉

㉮ 초과환급받은 세액×환급받는 날의 다음 날부터 납부일까지의 기간×25/100,000
㉯ 납세고지서에 따른 납부기한까지 미납부세액(또는 과소납부세액)×3%

4) 원천징수납부 등 불성실가산세

미납부세액×3%+미납부세액×미납부기간×25/100,000

반면, 부가가치세법에서는 사업자등록을 하지 않은 경우, 세금계산서의 미발급, 지연발급 등과 매출·매입처별세금계산서합계표의 불성실가산세 등을 개별적으로 정하고 있다.

자세한 내용은 아래 표와 같다.

<표> 부가가치세법 가산세(2018년 이후 공급분부터)

구분		적용범위	가산세율
① 미등록가산세 허위등록가산세		사업자등록을 하지 아니한 때 사업자의 명의를 위장하여 등록한 때	1% 1%
② 매출	㉠ 세금계산서 미발급가산세	세금계산서를 발급하지 아니하였을 때 (해당과세기간 확정신고기한까지 발급하지 않은 경우)	2%
		전자세금계산서 의무발급자가 종이세금계산서를 발행한 경우(2015년부터)	1%
	㉡ 가공세금계산서	공급이 없음에도 가공으로 발급한 때	3%(2017년 이전 2%)
	㉢ 위장세금계산서	실공급받는 자가 아닌 타인명의로 발급	2%
	㉣ 세금계산서 부실기재가산세	교부한 세금계산서의 기재내용의 누락 사실과 다르게 기재한 때	1%(2018년부터 공급가액 과다기재 2%)

구분		적용범위	가산세율
	ⓜ 세금계산서 지연발급가산세	발급기한(다음 달 10일) 경과 후 해당 과세기간 확정신고기한 내 발급하는 때	1%
	ⓗ 매출처별합계표 미제출가산세	매출처별세금계산서합계표를 제출하지 아니한 때	0.5%
	ⓢ 매출처별합계표 부실기재가산세	매출처별세금계산서합계표의 기재사항 누락 사실과 다르게 기재한 때	0.5%
	ⓞ 매출처별합계표 지연제출가산세	예정신고분을 확정신고시 제출 때	0.3%
	ⓙ 전자세금계산서 지연전송가산세	전송기한 경과 후 과세기간 말의 다음 달 11일까지 전송하는 경우	2019년 이후 0.3%
	ⓒ 전자세금계산서 미전송가산세	전송기한 경과 후 과세기간 말의 다음 달 11일까지 전송하지 않은 경우	2019년 이후 0.5%
③ 매입		㉠ 매입가액을 과다하게 기재하거나 필수적 기재사항이 사실과 다른 때	0.5% 매입가액 과다기재는 2018년부터 2%
		㉡ 경정시 경정기관의 확인을 거쳐 세금계산서 등에 의해 매입세액 공제받는 때	
		㉢ 발급시기 이후 발급받은 분	
		㉣ 가공, 위장매입세금계산서 받은 분	가공 3%, 위장 2%
④ 현금매출명세서 부동산임대명세서 미제출가산세		전문 인적 용역사업자등 수입금액명세서, 부동산임대공급가액명세서 미제출, 제출누락 금액	1%

※ 중복적용배제

① 적용시 ②의 ㉣㉤㉥㉦㉧㉨㉩ 적용배제

②의 ㉠㉡㉢ 적용시 ①, ②의 ㉥㉦㉧ 및 ③ 적용배제

②의 ㉥㉦㉧ 적용시 ㉣㉤㉨㉩은 적용하지 않는다.

②의 ㉤ 적용시 ㉣㉨㉩은 적용하지 않는다.

②의 ㉣ 적용시 ㉨㉩은 적용하지 않는다.

②의 ㉤(1%)과 ㉧(0.5%) 동시 해당시 ㉤(1%)을 우선 적용한다.

21. 사실과 다른 세금계산서 (=거짓세금계산서)를 받을 때 불이익

강의를 할 때면 부가가치세는 사업자 자신의 호주머니에 들어가는 돈이 아니라, 소비자가 낸 세금을 잠깐 보관하고 있다가 국가에 내는 간접세라고 강조를 한다. 이러한 이유로 부가가치세는 계산구조에서 보았듯이 어떤 정책적 이유를 제외하고는 매출세액에서 매입세액을 뺀 금액이 국가에 납부할 세액이다. 그래서 매입세액을 부풀리는 꼼수를 사용해서도 안되고 체납을 해도 안된다고 강의에서 수차례 말하곤 한다.

그럼에도 불구하고 사실과 다른 세금계산서를 받아 매입세액 공제를 받는다면 어떨까? 쉽게 말하면, 사업자가 실제로는 재화를 사거나 용역을 제공받지 않았으면서도 마치 재화나 용역을 공급받은 것처럼 하여 허위로 세금계산서를 받아 거짓으로 매입세액 공제를 받는 것이다. 이러한 거짓행위로 인하여 공제받는 매입세액이 증가하면 상대적으로 내야 할 부가가치세는 줄어드는 것은 당연하다.

국세청은 거짓세금계산서를 주고받는 것에 대하여 국세청 내부 전산망 등을 통해 실시간으로 철저히 대응하고 있다. 납세자의 협력비용을 줄이기 위해 전자세금계산서를 도입한 것도 맞지만, 사실과 다른 거짓세금계산서를 실시간으로 감시하기 위함도 있다.

사업자 중 거짓세금계산서만을 전문으로 판매하는 자료상의 경우는, 통상 짧은 기간에 거액의 세금계산서를 발생시키고 폐업하므로 쉽게 파악이 가능하다. 자료상과 거래한 사업자는 나중에 세무검증을 철저히 받게 되므로 거짓세금계산서를 파는 자료상의 유혹에 빠져서는 안 될 것이며, 사업자 자체가 거짓세금계산서를 구입하려는 유혹에 빠지지 않는다면 수요가 없는 공급은 있을 수 없듯이 자연히 자료상들도 없어질 것이다.

만약, 거짓세금계산서를 산 경우에는 어떤 세무상 불이익이 있는 것인가?

① 거짓세금계산서를 받은 거래에 대해서는 공제받았던 매입세액을 불공제한다.
② 신고불성실가산세는 부정행위로 인한 과소신고로 산출세액의 40%를 부과한다.
③ 세금계산서불성실가산세는 공급가액의 3%(재화나 용역을 공급받지 않은 경우), 공급가액의 2%(재화나 용역을 공급받았으나 사실과 다른 경우)를 부과한다.
④ 납부지연가산세가 적용된다.

위와 같이 거짓세금계산서를 사는 행위는 부가가치세를 조금 아끼려다 오히려 국가의 세금을 횡령하게 되는 것이어서 무거운 처벌을 받게 된다. 따라서 눈앞의 작은 이익을 쫓다가 나중에 더 큰 손해를 보는 일이 없도록 주의해야 한다.

22. 다단계사업을 그만둘 때 신고 마무리(폐업신고)

사업을 시작했을 때 세무서에 사업자등록이라는 절차를 거친 것처럼, 사업을 마무리할 때에도 폐업신고라는 절차를 필요로 한다. 사업을 그만두는 판국에 무슨 경황이 있어 폐업신고까지 챙기냐 하겠지만, 폐업신고를 하면서 그동안의 부가가치세 신고까지 마치는 일은 중요하다.

(1) 폐업신고를 한 경우보다 더 많은 세금을 과세받을 수 있다

폐업을 하면서 부가가치세, 소득세 신고를 해 두면 신고를 하지 않은 경우보다 가산세 부담을 줄일 수 있다.

부가가치세의 경우 종이로 발급된 세금계산서를 제외하면 전자로 발급된 세금계산서는 모두 세무서에서 알 수 있으므로, 이를 근거로 부가가치세를 부과할 수 있다. 세무공무원은 매출자료는 그대로 매출세액으로 보아 과세하지만, 매입자료는 세금계산서를 받았더라도 공제할 수 있는 매입세액으로 확인되는 경우에만 공제해 준다. 그러므로 매출자료는 없고 매입자료만 있다면, 부가가치율에 따라 매출을 추계하여 과세한다.

따라서, 실제 폐업하는 마당에 부가가치율이 높지 않음에도 또는 손해를 보았음에도 신고를 하지 않으면, 신고한 경우에 비해 부가가치세 부담이 늘어날 수밖에 없다.

소득세의 경우 부가가치세 과세자료를 기준으로 추계과세를 하는데 손해가 났더라도 그 사실을 인정받지 못하며 세액공제 등도 받지 못하므로, 소득세도 부가가치세와 마찬가지로 신고한 경우보다 세부담이 늘어날 것이다.

(2) 세금이 체납되면 본인 명의로 사업자등록을 신청하거나 재산을 취득하기 어렵다

사업자가 체납이 된 후 나중에 본인 명의로 사업자등록을 신청하게 되면, 사업자등록증을 내 주기 전에 사업장 임차보증금을 압류하게 되어 사실상 사업을 하기 어렵다. 설령 사업자 임차보증금을 압류하지 않는다 해도 실무적으로 매달 얼마씩 납부를 해야 사업자등록증을 교부해 주는 사례도 있다.

그리고 다른 세원이 포착되지 않는 일을 하여 재산을 취득하더라도, 체납자 명의로 재산을 취득하게 되면 즉시 압류하여 공매처분을 하게 되므로 체납자 앞으로는 재산을 취득하기 어렵다.

(3) 각종 행정규제를 통한 불이익을 받는다

체납세액이 5천만 원 이상인 자에게는 출국금지를 요청하며, 체납세액이 5백만 원 이상인 자는 신용정보 집중기관에 명단을 통보하므로 금융거래에 제한을 받게 된다.

(4) 관련 기관에도 신고해야 불이익을 받지 않는다

면허 또는 허가증이 있는 사업일 경우 당초 면허를 받은 기관에 폐업신고를 하여야 면허세가 부과되지 않는다. 그리고 사업자등록 폐업 시 폐업증명을 받아 국민연금관리공단 및 국민건강보험공단에 제출하여야 보험료가 조정되어 불이익을 받지 않는다.

결론적으로 폐업을 하면서 폐업신고나 그에 따른 세금신고를 하지 않으면 본인이 실제 부담해야 할 세금보다 더 많은 세금을 부담하게 되어, 이에 대한 이의신청을 하거나 조세불복절차를 거쳐야 하는 어려움에 부딪힌다. 따라서, 폐업하는 시점에 그럴만한 마음의 여유가 없더라도 반드시 신고를 해야 한다.

사업자가 자금사정으로 세금을 납부할 수 없다 하더라도, 신고만이라도 정확히 해 두면 세무상 불이익을 받는 일은 크게 줄어들 것이다.

23. 부가가치세 수정신고, 경정청구

"제2장 조세총괄 편"에서 보았듯이 부가가치세도 법정신고기한 내에 신고한 내용에 오류가 있어 추가로 납부할 세액이 있다면 수정신고를 하면 된다. 수정신고를 하게 되면 수정신고기한에 따라 신고와 관련된 가산세의 감면이 주어진다.

법정신고기한 경과 후 2년 이내에 수정신고를 하면 과소신고가산세, 초과환급신고가산세, 영세율과소신고가산세를 다음과 같이 감면받을 수 있다. 다만, 세무서에서 경정이 있을 것을 미리 알고 수정신고를 제출하는 경우는 감면을 받을 수 없다.

수정신고	감면율
법정신고기한 경과 후 1개월 이내 수정신고하는 경우	90%
법정신고기한 경과 후 1개월 초과 3개월 이내 수정신고하는 경우	75%
법정신고기한 경과 후 3개월 초과 6개월 이내 수정신고하는 경우	50%
법정신고기한 경과 후 6개월 초과 1년 이내 수정신고하는 경우	30%
법정신고기한 경과 후 1년 초과 2년 이내 수정신고하는 경우	10%

반대로 부가가치세를 법정신고기한 내에 신고한 내용에 오류가 있어 반대로 부가가치세를 돌려받아야 한다면, 법정신고기한으로부터 5년 이내에 경정청구를 하면 된다.

경정청구를 하고자 하는 자는 경정청구기한 내에 경정청구서를 제출하면 되고, 경정청구를 받은 세무서장은 청구를 받은 날부터 2개월 이내에 처리결과를 통지해 준다.

즉, 세무서장이 납세자가 청구한 내용에 대하여 2개월 이내에 결정이나 경정을 하고, 그 내용을 또는 결정이나 경정을 하지 않는 이유를 청구한 사람에게 통지를 해 준다.

24. 주요 관련 사례

(1) 다단계판매원 후원수당이 면세에 해당하는지 여부

> 자신의 노력에 계속적·반복적으로 사업에만 이용되는 물적 시설을 결합시켜 부가가치를 창출한 것으로, 후원수당이 부가가치세 면세대상이라고 할 수 없다.

1) 부가가치세 면세대상 관련 법령

부가가치세법 제26조 제1항 제15호는 '저술가·작곡가나 그 밖의 자가 직업상 제공하는 인적 용역으로서 대통령령으로 정하는 용역의 공급에 대하여는 부가가치세를 면제한다'라고 규정하고,

부가가치세법 시행령 제42조 제1호 사목은 '법 제26조 제1항 제15호에 따른 인적 용역은 개인이 기획재정부령으로 정하는 물적 시설 없이 근로자를 고용하지 아니하고 독립된 자격으로 용역을 공급하고 대가를 받는 인적 용역'이라고 규정하면서 '보험가입자의 모집, 저축의 장려 또는 집금 등을 하고 실적에 따라 보험회사 또는 금융기관

으로부터 모집수당·장려수당·집금수당 또는 이와 유사한 성질의 대가를 받는 용역', '외판원이 판매실적에 따라 대가를 받는 용역'을 열거하고 있으며,

부가가치세법 시행규칙 제29조는 '영 제42조 제1호에서 기획재정부령으로 정하는 물적 시설이란 계속적·반복적으로 사업에만 이용되는 건축물·기계장치 등의 사업설비(임차한 것을 포함한다)를 말한다'라고 규정하고 있다. 부가가치세법령이 위와 같이 개인이 물적 시설 없이 용역을 공급하고 그 실적에 따라 수당 또는 이와 유사한 성질의 대가를 받는 용역의 공급에 대하여 부가가치세를 면제하는 이유는, 이러한 용역이 부가가치세법에서 용역의 공급으로 보지 않는 고용관계에 따른 근로에 유사한 용역에 해당하므로,

이러한 용역을 부가가치세 면세대상으로 하여 과세의 형평성을 도모하고, 소규모의 인적 용역을 제공하는 사람에게 거래징수 및 신고납세 의무를 지우기가 어렵다는 현실을 고려한 것이라고 할 수 있다.

2) 관련 사례

소속 다단계판매원들은 다단계판매회사와의 관계에서 회사의 명성을 높일 수 있는 방식으로, 그 제품을 고객에게 홍보할 의무를 부담한다.

따라서 소속 다단계판매원들의 사업 구조는 판매 제품을 소개·홍보하고, 다수의 회원들을 유치·관리하며, 회원들 간에 제품의 사용경험 및 관련 지식을 공유하도록 함으로써 하위 판매원들의 사업의욕을 고취시키고 판매실적을 제고하여 결과적으로 자신들의 후원수당을 증대시킬 수 있는 것인데,

이러한 활동을 위해서는 계속적·반복적으로 이용 가능한 사무실, 교육장 등의 물적 시설이 필요하였을 것으로 보인다.

과세관청은 소속 다단계판매원들이 지급받은 후원수당이 물적 시설을 갖추고 용역을 공급한 대가로서 부가가치세 과세대상에 해당한다는 이유로 부가가치세(가산세 포함)를 각 부과하였다.

3) 검토 결과

소속 다단계판매원들이 임차한 상가를 회원들의 휴식, 사교장소 등으로 제공하였다고 주장하고 있고, 사교 및 교육 목적으로 사용하였다고 주장한바 있어서 회원 관리, 제품 홍보, 관련 지식 공유 등의 활동을 위해 이용되었을 것으로 판단된다.

따라서, 자신의 노력에 계속적·반복적으로 사업에만 이용되는 물적 시설을 결합시켜 부가가치를 창출한 것으로 후원수당이 부가가치세 면세대상이라고 할 수 없다.

(2) 다단계판매원이 종업원을 고용하는 경우 부가가치세 면세 적용 여부

> 다단계판매원이 다단계판매업자로부터 받은 후원수당으로서 사업설비를 갖추거나 근로자를 고용하여 용역을 공급하는 경우 부가가치세를 과세한다.

1) 관련 사례

다단계판매원이 다단계회사로부터 물건을 구매한 실적에 따라 후원수당을 지급받고 있으며 본인의 사업활동을 보조하기 위해 종업원 3명을 고용하였고, 이에 따라 인건비 5천만 원과 복리후생비 약 2천만 원을 지출하여 이를 비용으로 계상하였다.

2) 검토 결과

「방문판매 등에 관한 법률」 제2조 제6호의 규정에 의한 다단계판매원이 다단계판매업자로부터 받는 같은 법 같은 조 제7호의 후원수당으로서 개인이 독립된 자격으로 물적 시설 없이 근로자를 고용하지 않고 용역을 공급하는 경우에는 부가가치세법 제12조 제1항 제13호 및 같은 법 시행령 제35조 제1호 사목 및 같은 법 시행규칙 제11조의3 단서규정에 의하여 부가가치세를 면제하는 것이나, 사업설비를 갖추거나 근로자를 고용하여 용역을 공급하는 경우에는 부가가치세법 제1조 제1항 및 제7조 제1항의 규정에 의해 부가가치세를 과세하는 것이며,

사업자가 부가가치세가 과세되는 재화나 용역을 공급하는 때에는 부가가치세법 제15조의 규정에 의하여 부가가치세를 공급받는 자로부터 거래 징수하여야 하고, 당해 거래 징수한 부가가치세액을 같은 법 제18조 또는 제19조의 규정에 의하여 정부에 신고·납부하여야 한다.

정상우 세무사

학 력
- 국립세무대학 졸업
- 한국방송통신대학 법학과 졸업
- 전주 전일고등학교 졸업

경 력
- (現) 대원세무법인 상무(2015~)
- 국세청 근무 경력 20년
- (前) 국세청, 서울지방국세청, 중부지방국세청 조사국, 법인세과 등 근무
- (前) 성남, 동수원세무서 등 일선세무서 재산, 세원관리과 근무

강 의
- (주)한국암웨이 세법 강의(2016~)
- 애터미(주) 세법 강의(2018~)
- 한국허벌라이프(주) 세법 강의(2018)